竹本忠雄

未知よりの薔薇

第一巻　由来篇

勉誠社

丸山敏秋氏に――
コルドバからツクバへの冒険と
湯浅泰雄博士を偲んで

西洋には、日本ではお目にかかれないような権威を持った、怖《こわ》ぁいお婆さんがいて、あるとき、日本の一青年が電話でこう云われた。

お前さんは、存在としてはからきし駄目な人間じゃが、お前さんの行為のほうは重要じゃよ、と。

本書は、そのような半端人間――たまたま「私」として語られる――が、一夜の夢で、この世ならざる世界からとおぼしき信号をキャッチし、その淵源を突き止めようと発意して、そこから次々と起こる不思議現象に遭遇し、東西間を往き来しつつ霊性と歴史の間の小径をたどることで異界との交流を深め、諸賢人の導きで驚くべき深奥の世界へと導かれる、長い模索の告白録である。

未知よりの薔薇　第一巻 由来篇　目次

カバーデザイン――橋場信夫
カバー写真――ダニエル・セール
表紙デザイン――大岡亜紀
画像データ管理――山﨑誠一

本書は、西暦二〇一二年から二〇二〇年（平成二十四年~令和二年）まで八年間にわたって書き継がれた。従って、文中、「現在、何々年」とある場合、それはその部分の執筆時の年代を記したものであって、一定ではない——推移していった——ので、ご留意願いたい。

第一章　常林寺の庭

三田寺町にて

予言されなかった歴史上の事件はない、と西洋のある本で読んだ覚えがある。同様に、予示されなかった自分の人生の大事はなかったような気がする。いわゆる予知夢によるものが多い。

現在私が身を置いている東京港区三田の生活空間も、ずいぶん以前に見たある夢とそっくりだ。何よりも、「凹んだ空間」という印象が似ている。ここらあたりは、古い町名が「三田寺町」と云われるとおり、低い屋根の寺が二十軒ばかり集まった一廓で、開かれた空が広い。東南の方角に東京タワーが立っていて、夜には派手なイルミネーションが遠目に見える。

それだけなら取り立てて証拠にもならないが、私の場合には、ある夢が正夢となるときには、かならず一つ二つの要素が決め手として付随している。大概は、オール・カラーで見た場合は、間違いなく正夢となる。女性の見る夢は例外なく色彩版だが、男性のそれは白黒であるということは、ユングで学んで以来、注意してきているが、周囲に確かめるとほとんど外れたことがない。三田寺町の予知夢は、夜景であったから、色はついていなかった。だが、別の証拠があった。自分の住居が、正方形が二つくっついた形で示されていた象徴性がそれである。片方が書斎、もう片方が食堂となっていて、夢とはいえ、それがくっついているのが奇妙な感じを受けた。実際はどうかというと、自分の居所は、あるマンションの三階に位置する真四角のワンルームである。すぐ隣に食堂はない。やはり真四角な共同の食堂があるが、それは一階に位置している。その点だけが夢と食い違っているが、ある意味でこの食堂は私と特別なかかわりがあり、夢の象徴言語からすれば、やはり書斎に隣接なのであった。

というのも、実際に住んでみて、なるほど巧みな暗示だと思ったのだが、ほとんど全員がサラリーマンばかりの居住者の中でただひとり書斎生活を送る私に対して、食堂はライフラインを握っている。加えて、賄《まかな》い方の女たちはパートタイマーという弱者の立場にあり、何度か私は彼女たちの苦情を聞いたり、身をかばって経営者側に対して物を云うような出来事が生じたからである。「正方形の書斎」に隣接した「正方形の食堂」は勝手な夢の創作ではなかった。

ここに住みついて五年になる。もと老人ホームを改装して造られたという四階建ての建物は、独身男性ばかりが住む修道院のような処で、昼間はみんな出払って閑散としている。終日部屋に篭もっているのは私くらいのもので、ついこの間までパリで活躍していたことを考えると、我ながらこの変化は信じがたい。ただ、パリで返り咲くにも、もっと人間らしい匂いのする界隈に引っ越そうにも、八十を越えたらもう面倒くさい。それと、もう一つ正直に云ってしまおう、あの夢に忠実でありたいという変な気持が働いていることも否定できないのだ。それともう一つ、ここに越してきたまさにその日に、あるやんごとなき筋からお祝いの花束が贈られてきたことも、「終の棲家」たることの有難いおしるしのように受けとれた。

早朝、目覚めると、ときおり、木魚の音が鳴っている。線香の匂いがぷうんと部屋まで流れてくることもある。向こう三軒両隣も寺で、窓を開ければ港ならぬ墓地が見える。墓地は部屋の前後に広がっている。戦前、深川に住んだときも、戦後、疎開地から帰って葛飾の本田立石に住んだときも、夕暮れに、白っぽい顔の姐さんたちが柳かげにたたずむ紅灯がそこここに点じていたものだった。それが、いまでは、門を出れば、袈裟を来た坊さんにぱったり出くわしたりする。人生の終わりぐらい、まともに暮らせよと、引導を渡された気分になる。

江戸時代、八丁堀同心が作られたときに、同地の寺社が追い出されてこの地へ移って来たのだという。振袖火事で焼け出されてきた寺も混じっているというから、話は古い。初めて住家の下見に来たときは、ちょっとした京都の裏町に紛れこんだような気分にさえさせられた。

「凹んだ空間」と云ったが、界隈そのものは高輪の台地にある。この一廓に近づくには、ぐるりを囲む坂道のどれかから入ってくる。時計まわりの方向に、幽霊坂、蛇坂、塩見坂、聖坂……といった曰くありげな名が付けられている。車の進入路は一つしかない。桜田通りから入ってくるそれだが、なぜかそこだけ名前がない。名無し坂と私は呼んでいる。そこの入口の寺は、墓地の切り売りにおおわらわで、一年中、大きな横看板を大通りに出して宣伝に余念がない。その墓地が、三階の私の部屋の斜め右手に見える。面積は変わらないのに墓は際限なく売りつづけるものだから、もはや墓石が隙間なしに詰めこまれてしまった。わずかに残った隙間を、毎日、花をかかえた誰かがうろうろしている。あの世まで、こんなせせこましい思いをしなければならないのかと、そぞろ死者が哀れになってくる。

ときたま、坂のどれかを下って私は町に出る。ここは泉岳寺からもそう遠くない。そのせいか、赤穂義士がらみの旧家にぱったり出喰わしたりする。ある酒屋のお内儀さんからは、飲んべえで有名な赤垣源蔵が、まだ店が大手町にあった元禄時代に酒を買いに来たものよと自慢げに聞かされた。土間に御輿を置いて、若い衆に振る舞い酒をしている石屋の親父が居たので、もしやと聞いてみると、噂どおり堀部安兵衛の子孫だという。

道理で、なかなかの面魂であった。

そんなたまさかの発見もあるが、住んで特に面白いという処ではない。戦前の粋な深川育ちの自分にとっては、どこか取り澄ました感じの山の手の空気も合わない。それなのになぜ動かずにここに居るのだろうと自問すると、「凹んだ空間」の夢が甦ってくる。ここに居るという結果が先に示されていた。

そのうちに、もっと深い因縁があるらしいということが分かってきた。それも、別の夢に先取りされて、である。


陋屋を出て、すぐ左隣に、常林寺という禅寺がある。そこの住職のおかげで稀なる機会を頂いた。

「曹洞宗帋嶽《こがくさん》山常林寺」と扁額のかかった山門をくぐると、見事な庭園が目を奪う。初めて当地を訪れたとき、開かれた黒い山門のゆかしさに誘われて足を入れ、思わず嘆声を洩らした。石仏と奇岩を配した中に、躑躅や牡丹が咲き乱れ、別世界のようだった。正面、寂びた石灯籠の向こうに、重々しい石の宝篋印塔《ほうきょういんとう》に収まって釈迦牟尼仏が鎮座し、その右側には、程良い高さの台座に乗って、間違いなくこれがこの庭の白眉であろう、青苔の衣装をまとってふうわりと立つ、古拙な観音像。

数ある近辺の寺々の中で、なぜか、ここにのみ心惹かれて何度も通うようになったある日、臈長《ろうた》けた中年女性が奥の院から現れ、にこやかに声をかけてこられた。一見して住職の奥さまと察せられた。

「当寺の方丈は、チベットのことで活動をしておりまして……」

と語りかけてこられる。無用な挨拶なし。

「これは」と、掌ほどの小さな絵本を差し出しながら、「チベットの悲劇を子供向けに書いたものですの」と云われる。

のっけからこのような話をしてくる大黒さんも珍しい。墓の切り売りで大わらわの不動産屋なみの寺とは大違いである。思わず襟を正し、自分もチベット救済百人委員会のメンバーを致しておりましてと答えると、まあそうですかと笑みを広げて、こう語られる。常林寺の方丈、林秀穎師は、世田谷のある仏教系学園の校長をも兼ね、かねて、ダライ・ラマ十四世に私淑し、どうあっても法王を日本にお呼びしたいと発願して、何年間も勤倹貯蓄した結果、私財をもって、ついに数年前、学園に招聘することができましたの、と。

こういう方がおられたのか……

山門を辞去しながら、ひょっとして、と思った。このご縁あって私は、ここ、三田寺町に住みついたのではなかろうかと。

三十年ほどまえに見た別の夢、それをめぐる事どもが猛烈にフラッシュバックしてきた……

夢はデザイナー

当時、私は、分けの分からない人生のエアポケットに落ちこんでいた。

十一年に及ぶフランス生活を中断した形で、三顧の礼をもって迎えられ、帰国して入った先のNGO事務局は、実は北朝鮮の手先機関だった。のちに山崎豊子の小説『仮装集団』を読んで、そこがモデルではないかと思ったほどである。事務局員たちは大半が共産党青年部上がりの連中で、ソ連からミグ戦闘機に乗って亡命してきたベレンコ少佐にソ連エージェントとして身元を暴露された東大教授――のち亜細亜大学学長――が組織の国際委員長をつとめ、ほかにも中共シンパ、北朝鮮シンパによってがっちりと要所が固められていた。「北」――当時は恭しく「朝鮮民主主義人民共和国」と呼ばれていた――による日本人拉致が始まったころで、まだ表沙汰にはならなかったが、警察には握られていた組織の加担の秘密を、とんでもない事務局長役に仕立てられた私は執念で突きとめた。単身、改革へと乗り出したが、国連系の旗を目くらましに掲げたそこの戦術に騙されるがままの全国の善良なる会員諸氏は、いっこうに目覚めようとはしなかった。幻滅して三年後にそこを飛び出したときは、ちょうど、ユングのいう「人生の午後三時」こと四十五歳に当たっていた。結婚していた人は離婚する、就職していた人は失職するといった百八十度転換の時だと、深層心理学の巨匠が啓示する曲がり角の時である。そのとおり、真っ逆さまの失墜を私は体験した。もはやパリにも戻れず、妻子とも離れて、渋谷で失業保険者の群れに混じって暮らす日々となった。そんなある日の未明、ダライ・ラマがこれから訪ねてくるという途方もない夢を見たのだった。

いまとは違って、日本政府が、ひたすら中国に慴伏していたころである。仏教系のある大学がチベットの亡命法王を招こうとしたが、中国の容喙で、一旦発給したヴィザを取り消すような無様なまねを重ねていた。もちろん、私は、法王とは、何の縁故があったわけでもない。それなのに、夢とはいえ、法王その人が、一介の素浪人を訪ねてこられるという。目覚めて、憮然とただ無精ひげを撫でていた。

ところが、早朝七時、電話が鳴った。あるボランティア活動家からで、「これからダライ・ラマの日本代表があなたをお訪ねします」というのだ。三十分後には、もうその人、ペマ・ギャルポ氏が、桜ヶ丘の安アパートで私の面前に坐っていた。当時は、チベット王家の出であるペマさんが、大使の代行をつとめていた。どう勘違いしたものか、自分ごときに、チベットの復興運動に一臂《いっぴ》の力を貸すようにと云われるのだった。

左傾勢力との私の孤独な戦いは週刊誌記事で向こう側に有利なように持っていかれ――記者の買収に動いた東京都の教育委員某氏の名前まで予知夢によって正確に知らされたとおりだった――、実情を知らない周囲の人々からも私は見放されて、人生最大の屈辱と苦難にまみれていた。しかし、こうしてチベットに応援をと請われるところを見れば、捨てる神ばかりではなかったのかもしれない。一九七〇年代後半の当時、自分は、南アジアでのボランティア活動期にあったから、見る人は見ていたということであろうか。バングラデシュでは膝まで没する大洪水の中を歩いて救済活動の先陣を切り、カンボジアでは地雷原を踏み分けてクメール王国復興の抵抗軍本営にまで応援に駈けつけるというような、汚れ役の日々だった。

それにしても、ダライ・ラマとの会見など、突拍子もない、まさに夢物語にすぎないと思われた。

しかし、運命とは目に見えない機織りであり、夢は、そのデザイナーである。あらかじめ夢が見せてくれたデザインにもとづいて、運命の手は、夜昼休むことなく杼《ひ》を動かして、ある日、見事な象徴的タピスリーを織りあげる。人は驚いて、それを正夢と呼ぶ……
とんとんからりんと、見えないところで、機織りは絶えず続けられている。タピスリーは、完成前にも、二度三度、断片的に垣間見させてもらえる。未完成のジグソーパズルのように。それが、私にとっての予知夢というものだった。

ダライ・ラマとの出会いの夢を見てから二十年ほど経った。私はそんなことはすっかり忘れていた。しかし、別の記憶の場では、その光景を実現する機織りが夜昼休まずに働いていたに相違ない。その間に私は、失業保険暮らしから大学づとめの身に変わり、それも定年まで十五年間勤めあげて、ようやく古巣のフランス生活に復帰していた。そんなときに、初めてダライ・ラマを目にしたのだった。それも、意想外の光景の中で。

ノルマンディーの港町、カーン市に、その方の姿はあった。同地でチベット大法王の講演が行われると聞いて、パリから駆けつけた。そして会場の設定に息を呑んだ。天井からワイヤーで、フランスの誇るジェット戦闘機、ミラージュを一機、ぶらさげているのだった。なんと、その下で法王は講話したのだ。しかも聴衆は、床に坐った二百人ばかりの中高生《リセアン》たちだった。

フランス、やるな、と思った。

あのとき見た光景は、夢のタピスリーの織りかけの図柄だったのだ。法王の召された黄丹《おうに》の法衣は、ミラージュの下、少年少女たちの頭上ごしに、遠目でしか見ることがなかった。それが、ぐんと間近に接近し、とうとう目前にしうるとは……

世田谷学園の校長室で、ここでは校長先生である常林寺の方丈からダライ・ラマに紹介を受けながら、とうとう夢は現実になったと私は胸につぶやいた。このことは後で詳しく語りたい。

東日本大震災前夜

これも、はや、二年前の出来事となった。

あいかわらず私は常林寺の庭を歩かせていただいている。

そこで必ず一本の小さな木のまえで足を止める。相当の腕前の庭師の設計したものであろう、いつ、どこから見ても見飽きないように、季節につれ、歩みにつれ、鮮やかに色と形を変える花々と木々に囲まれて、中央に石灯籠を囲む一画があり、その向こうに、青々と満天星《どうだん》の植え込みが馬蹄形をつくっている。そこからやや手まえ左側に、何の変哲もないその薔薇の小木は、子供の背丈ほどしかない。ほとんど枯れ木と見まごうほどの、誰も見向きもしないであろう、そんな木が、隅々まで入念に計算しつくされた感じの庭の中に紛れこんで、そこにあるということそのものが、いかにも奇妙だった。「何の木の花とも知らず匂ひかな」と芭蕉は詠んだが、その木は花もなければ匂いもない。これでも、ステッキではなく、木ですよと主張するかのようにぱらぱらと突き出た枝には、ほとんど葉もない。私も見過ごしていたであろう、もし、気まぐれに、季節とかかわりなく、ごく稀に二輪、三輪といった程度に、枝先につつましい朱い花を咲かせるのでなかったならば。

それでも、薔薇の木だったのである。

そしてそう気づいたときに、私は不思議な感動に襲われた。

これまた、遠い夢を呼び覚まされて。

しかも自分にとっては、あまたの夢の中で、これこそ一生の秘密を秘めたるものと思いつづけてきた、ある夢を。

一本の木を、何の変哲もない木を、こんなに熱心に眺めたことはなかった。その前を通りすぎて、正面の釈迦如来像を仰ぎ、その右手、中空に浮いて立つ鄙びた観音像を視つめることが、いつのまにか私の孤独の晩生の楽しみとなっていた。殊に、早朝、左手の本堂わきの空に陽が昇り、斜光の最初の一閃が観音像に当たると、その後ろの枇杷《びわ》の木の大きな葉が天蓋のように垂れ下がった下で、やや俯《うつむ》いたお顔の閉じた半眼が微かに開いたと思われる瞬間が幾度かあり、そんなときは、かならずそこから白光が射すように感じるのだった。白光、と、なぜか感ずるのだ。ぞっとするような、艶めかしくさえある感覚で、そんなとき、あわてて私は、像の台座に彫られた「南無観世音菩薩」との七文字を読んで、凡愚の身を恥じる。こうした仙界にも通ずるような神妙な思いに比べれば、朽ち木にも近い、何の取り柄もない薔薇の木が掻き立てる感情などは、余人にとっては何物でもあるまい。しかし、私にとっては、ある遠い別の夢で見た薔薇の記憶あるゆえに、それにこだわる格別の理由があるのだった。

ぽつぽつと、たまさかに思い出したように薄紅い花を咲かせるその時を待ちかねて、隠れた蕾を私は探すようになった。時折、庭内を剪定して回る植木職人たちに伐られはしないかと、ひやひやしながら。そんな様子を、あるとき、傍を通りかかった住職の奥さまに見られて、顔を赤らめる思いで、こう云うのがやっとだった。

「実は……ちょっと想い出がありまして……。むかし、ある夢を見まして……」

伐らないでください、とも云えずに。

その夢とは……と語ろうとして、これも声に出なかった。

夫人の慈悲あればこそ、その木は生きながらえている、いや、花さえ咲いているのだと気づきもしないのは、恥ずかしいことであった。あるとき、「もっと丹念に、選り分けて良い花を残すようにしなければいけないのですけれど……」と云われたからである。

山門を入って右側の、一列に並んだ石の地蔵さんの、いちばん端っこの、飛び離れて置かれた合掌童子の前にまで、毎朝、ねんごろに切り花を活けて回るようなお人柄である。寺は、見えない四隅を美しく保つようにと先代の住職に教えられましたので、と云われる。ダライ・ラマの招聘と紹介を繰りかえすのみならず、アジア一帯で救援活動を続ける現職の老師と、夫人とは、まさに好一対の、慈悲ふかいご夫妻と申さねばならぬ。老師は、インドのチベット難民の地、ダラムサラを訪ねては激励を重ね、いま現在もミャンマーにまで赴いて、二十数カ所のジャングルに埋没した旧日本軍の戦没将兵の遺骨収集に尽瘁しておられるのである。

心の美しさあってこそ、庭も美しい。

魅せられて私は、足繁くそこに通い、帰国後の歳月が過ぎていった。紅白の梅、臘《ろう》梅《ばい》の開花に冬が終わり、紅い躑躅、白いさつきの春を迎え、五月雨に色を変える紫陽花の移ろいを眺めた。只の空無とばかり見ていた大甕《おおがめ》の上に、千年前の古代蓮が、梅雨時にまたたく間に大きな葉を伸ばし、忽然としてこの世ならぬ薄紅色の大輪の花を咲かせる驚異をも知った。

黒い山門の内側の、その別世界に、しかし私は、だいぶごぶさたしたことがあった。

持ち前の突発性から、傘寿に届こうという歳にある国際会議を発想し、準備の空転の中に足掻いていたころで、そのまま年を越した。二月も過ぎて、ある朝、ふらりと山門をくぐった。背景の松の木のほかはまだ彩りのない庭の中ほど、正面の古い大きな石灯籠の左側に、嚇と燃えるひとむらの朱に気づいた。近づいて、思わず声を上げた。なんと、あのステッキのような薔薇の木が一面の花を咲かせていたのである。

まだ薄ら寒い、この時期に。

いつも三，四輪がせいぜいという、この貧木に、二十輪もの深紅の花が枝もたわわに咲いているのだった。

呆然として私は寺の玄関のほうを見やった。どなたか、気づかれたであろうか。深閑としている。観音像を見た。沈黙している。

「世間の人、花を見ること、夢のごとくに似たり」との禅語が胸に浮かぶ。

翌三月十一日、東日本大震災は起こった。

第二章　あなぐら

「ロジエー」

そうまでして「薔薇の木」にこだわるには理由があった。ある意味で私の全人生はその謎ときをこころみてきたようなものだったからである。

それも、一夜の夢に端を発していた。もう半世紀以上も昔、二十五、六歳のころにさかのぼる。

当時私は、昼と夜の二重生活を送る日々だった。父が稼業に失敗したので、大学院博士課程進学を諦めて就職した。初めて世間の風にあたって周囲と衝突し、自分を見失いかけて狼狽した。そこで自己防衛を工夫した。勤務先から出来るだけ近間に居住し、通勤時間を削って自分の内世界に沈殿しようとしたのである。本郷元町で下宿生活を始めた。

アパートを出ると、お茶の水の掘割の向こう、崖の上に、勤務先の建物が見える。まさに指呼の間だ。夕刻五時に事務所を出るや、徒歩十五分で飛んで帰った。それから原稿用紙に向かい、夜中まで何やら書き散らす。父は極貧の生まれで、小学校四年で働きに出され、それでも文学好きの投稿少年だった。その憧れだけは受け継いだ長男の私は、己の能力をも知らず、逆境で足掻いていた。そんな最中に、その夢は送られてきたのだった。こんなふうな。

私はインドを旅したのちに、そこを去ろうとしていた。エレベーターのような箱形の乗物に乗って。それは垂直に地底に沈降していこうとする。

すると、一人のインド女性が、一輪の花を持って現れ、閉まりかけた扉ごしにこちらへそれを差し出しながら、こう云ったのである。

「ロジエー!」

と。

箱形の乗物は、いったん、深く深く地中へと沈んでいった。そしてぽっかり浮かんだところは、大海原の真っ只中だった。

と思った次の瞬間には、こんどは私は大平原のただなかに佇んでいた。はるか前方に、峨々たる山脈が天を摩するばかりに聳え立ち、視界をさえぎっている。はてここはどこだろうと思うと、右手に一本の道標が現れた。見ると、そこにはこう書かれていた——

「天山路」。

目覚めて、私は頭をかかえこんでしまった。

「ロジエー」が「ローズ」から派生した「薔薇の木」であることぐらいは分かる。だが、なぜ、フランス語で云われたのであろうか。それも、インドで、インド女性と思われる人から。

奇妙な箱形の乗物による大海への沈降と再上昇。大山脈を前にした、意味ありげな「天山路」という名称……

全体の象徴性は察しがつかないではない。おそらく、魂の救済にかかわる何かであろう。それにしても、薔薇の一枝を差し出しながら「ロジエー」と云ったインド女性の神々しい美しさは深く身にしみた。

一つ、確かなことがあった。生まれて初めて私は、自分以外のいずこからか送られてくる信号を受けとった、と信じたのである。未知よりの薔薇、と自然に呼ぶようになった。ほかにどんな呼び名があっただろうか。

錯覚であってもいい、無駄であってもいい、どんな学問上の命題にもましてそれを謎と受けとり、それを解くことが自分の一生の課題であると思うようになった。

あの夢の跡に立ってもういちど考えてみたいと、きょう、五十数年ぶりに本郷元町を訪ねた。

そんな大昔の空間がそのまま残っているほど東京の町は悠長ではない。お茶の水駅前から外濠をこえ、左折する。順天堂病院前を通って、濠ぞいに水道橋方面に向かって歩き、裏通りに出る。かつては、このあたりに露地があり、その突き当たりに我が乏しきアパートは建っていたはずだが。しかし、いくら探し回っても、露地さえ消えて無くなっている。界隈の風景は一変してしまっていた。

たしか、この裏通りをまっすぐ行ったところに、銭湯があったと思いだした。夏の夕暮れ、手拭い片手に外に出たら、向こうから見知らぬ女性が笑いながら近づいてきた。見忘れた顔かと思い、こちらも会釈をして返すと、あなた、浴衣が裏返しですよと注意された。

界隈をぐるり回って、濠端に戻る。そうそう、このあたりに床屋があったっけ。頭をちょきちょきやりながら、こんなことをいう亭主だった。

――え、お客さん、あそこのアパートに住んでるの。大家さんは若後家だよ。ちょっくら可愛がっておやんなさい。家賃ぐらい、負けてくれるかも……

残念ながら、その自信はなかった。

いまや堅固な城のような高層建築が建ち並ぶ一画に、こんなたわごとを思いださせる蔭もない。当時は、マンションなどという言葉もなく、アパートだった。ＯＬはＢＧ

（ビジネス・ガール）と呼ばれ、ＳＬではなく蒸気機関車が走っていた。我が家も、四畳半一間だけ。そんなのが、廊下を挟んで四つずつ向かい合って並んだ二階建てだった。私の部屋は、玄関から取っつきの右側にあった。すぐ隣は、目ばかり大きな、がりがりに痩せた若い女が一人暮らししていた。それでもどこかクラブのホステスらしい。その隣には、駆け落ちでもしてきたのか、蓮っ葉な年嵩《としかさ》女と高校生上がりのようなぼんぼんが同棲していた。この二人が真っ昼間から絡み合って立てる物音が、こっちの部屋まで筒抜けに聞こえてくる。ところが、間に挟まった一室のホステスは、苦情一つ云うでもなく、いつも静まりかえっていた。

前の部屋には一人の巨漢が住んでいた。初めて見たときには度肝を抜かれた。豪放な性格らしく、部屋の戸を開け放したまま、こっちに向けて大股を開き、股ぐらに一升瓶をどんと押っ立てたまま、昼寝していたのだ。酒呑童子でも見たような気分になった。あんた知らないの、と、軽蔑しきった口調で例の蓮っ葉女から云われた。あの人、大島渚とコンビの、有名なシナリオ・ライターの石堂淑朗さんよ。

たしかに、『青春残酷物語』のポスターが、反逆の旗印のように街頭にひるがえっていたころだった。しかし、石堂さんは、見かけによらず優しい人だった。私が共同炊事場で乾燥わかめをそのまま包丁で切ろうと躍起になっていると、笑いかけて、それは水で戻して切るんですよと教えてくれた。戻すという動詞にそのような意味があると、おかげで初めて知った。ずっと後年、九段会館の憂国忌で二人は再会した。壇上で並んで腰を下ろしながら、ここに来るようでは大島渚とは袂を分かったのかなと思った。足を患っておられるようで、かつての偉丈夫ぶりを思いだして胸が痛んだ。その日、私は、慰霊祭の祭主をつとめ、三島・森田両烈士の遺影のもとで祭文を読みあげた。あとで、感動したと某誌に書いてくださったのを目にしたが、往年の同宿のよしみでもあったろうか。

同宿といえば、石堂さんの部屋の隣に、渋い初老の男性が住んでいた。知らん振りをしながら、こっちのことはじっと観察していたらしい。あるときこんなふうに云われて面食らった。あんたさんは、コンスタントに勉強しているから偉い。あなたのような人を、もう一人、知っていますよ。竹村健一というんじゃが……

ひとかどの人士だったのかもしれない。あなたはどういうお方ですかと一言聞けばいいものを、精神の未熟で、云いださずに終わってしまった。

日長になった五月の夕べ、消えた街角を徘徊しながら、そんな取りとめのないことばかり思い返されてくる。

だが、このあたりのどこかにあった小窓の内側で、かつて、一連の奇妙な現象に見舞われたことは事実であった。

その種の体験は、幼少期以来、まったく忘れてしまっていたことだった。四歳ごろ、前世体験らしき夢を見たのが最初だった。なぜ覚えているかというと、私は両親が大阪暮らしの間に生まれ、そのころちょうど東京の深川に連れ戻されたからである。それは、大津波に襲われる夢だった。海面がみるみる盛りあがり、あっというまに私はそこに呑みこまれてしまった。陸地に椰子の木が何本か立っていたが、そこに怒濤が摑みかかる光景をも、はっきり覚えている。わけても、盛りあがる真っ青な海と、青々とした椰子の葉の色彩は、忘れがたく記憶にしみついた。

先にも記したとおり、ほとんどの男性と同様、私の見る夢は白黒だが、カラー版のときにかぎって「正夢」となる。だが、あの夢が正夢だという保証はない。とすると、あの強烈な青は何を意味するのだろう。何十年もの間、考えつづけた結果、私は、ひょっとするとそれは前世体験ではなかろうかと考えるようになった。ある種の深層心理学者によれば、前世体験は、かりにあっても、三，四歳で消えてしまうものらしい。とするとこれは私の場合にも当てはまる。私は、どこか南海で、たとえばインドネシアのようなところで、いったん大津波で死んだ身ではなかろうか。が、ほかに何もそれを証明するものはないのだ――あの強烈な「青」のほかは。

幼時、下町大空襲の予知夢も見た。神隠しにも遭った。小学校に上がってからも、二年生のときまでは現象が続いた。国語の時間に、教壇の先生をふと見たら、机上で教科書をささえたその左手がだんだんと大きくなり、みるみるこっちに伸びてくるのを見て恐怖にとらわれた。いまから顧みると、こういった体験は、どれも暗い、怖いものばかりだったことに驚かされる。やがて米軍の大空襲によって下町一帯が潰滅させられる運命の予感だったのであろうか。

しかし、そういった現象はすべて、幼児体験として忘却していたことであった。この「手」の幻影が最後となった。その後十年間あまり、戦争を挟んで、生きることと進学に必死で、そんな奇妙な事どもと付き合う暇はなかった。学校、予備校、大学……と、所変われども、つねに理知の砦に守られていた。「学校の怪談」とは、巧みなパラドックスだ。科学は、非合理を、白昼の幽霊として駆逐する。「科学する心」とやらが流行し、民主主義という体制がそれを支えた。もうお化けは出る幕がない。自分の幼少期体験など、下町大空襲を経て、さらに戦後の時代風潮の変化につれて、隅田川の向こうに永久に置き忘れてきたものとばかり思ってきた。ところが、二十歳代半ば、いい大人になってから、奇妙な事どもが復活してきたのだった。

あの穴蔵のような貧しい部屋で——。

第一回東京オリンピックがまだ何年も先の、日本人の住居が一般にウサギ小屋と呼ばれた時期のことで、安月給取りになった私のそれも例外ではなかった。四畳半といえば、襖《ふすま》の下張りという粋な呼び名もある。が、拙宅とはおよそ縁がない。机と、寂びた鉄製ベッドと、本箱と、電蓄——それもウサギ小屋むけにSP盤を斜めにかけられるようにした——を回りに並べ、残り二畳たらずの隙間にちゃぶ台を置いて、茶漬けを掻っこむような生活を続けていた。そんな中で、時折、非常識な事柄が起こるのだった。物が急に出現したりする。うつつか、まぼろしか、体が浮いたりもした。「幽体離脱」、であろうか。いま思うと、ある種の自分の体質が強まりつつあったのかもしれない。しかも、そこの空間に住みつくまえにも、異変は始まっていたのだった。こんなことがあった。

就職に先立って家庭教師をしていたときのことである。大森のある家庭にフランス語を教えに赴いた。生徒である女性から、ちょっと用足しに出るあいだ留守居をしてくれるよう頼まれた。すると、不意に、閉まった隣室のドアから音もなく二人の男が現れた。あちこち物色し、さらに戸棚を開けて必死に何かを探しまわっている。そのうちにこっちの部屋に入ってきた。殺されるのではないかと私は震えあがった。ところが、これを金縛りというのか、声も出ない、体も動かない。怪しい闖入者たちは、こっちを一瞥するでもなく、何も見つからなかったようで、まもなく煙のように姿を消した。彼らにはいかなかったのだ。そこへ女性が帰ってきたのでこのことを話すと、隣室を見て叫んだ。

——おかしいわ、たしかに襖を閉めておいたのに、開いている！

彼らには私の姿は見えなかったのである——繰りかえし云うならば。ということは、見えないバリアが、そのころにはまだあったということになる。向こうからはこちらが見えず、こちらからは向こうが見えるというような。が、それは、やがて外されようとしていた。彼我の間は、けっして一方通行に留まるものではないということを後に私は思い知らされることとなる。危く身に危害を受けそうな出来事さえ起こった。ブエノスアイレスの一夜の体験がそれである。この手記の先のほうで語ることとなろう。

いまにして云いうることは、異界交流にはどうも段階があるらしいということである。段階を追ってそれは深まっていく。もちろん、緑風荘――いま思い出したがそれが我がアパートの名前だった――暮らしのころは、そこまでは想像できなかった。おかしな現象が起こっても、偶然の出来事として片付けていた。せいぜい一回性の出来事であれば、偶然としてもよかろう。ところが、これらの現象は繰りかえされていくのだった。持続的でなかろうとも、断続的に。時には非常に長期の間合いを置いても、再現してくるのだ。それから二十五，六年の歳月を経て、筑波暮らしの最中に、人生最大の超常現象のラッシュに見舞われたごときは、その例である。

だがそれは、まだずっと先のことだ。

さしあたりは私は緑風荘の中にいる。この奇妙な小空間を、ちょっとしたマジックの仕掛のように受けとって、ひそかに「ブラック・ボックス」と名づけたが、誰にも語らずにいた。元来が私は小説家志望で、それがいつのまにやらフランス文学研究とやらの方向へと逸れてしまったが、小説家になっていたらこんな題材は格好のものとして採りあげていたに違いない。それにそもそも異界体験とは、宗教にあらずんば文学に属することだった。『遠野物語』はその一典型で、これを民俗学と呼ぶのは、どこか科学の名において原体験を狭めているような違和感をすら感じていた。民俗学や心理学の生まれるよりずっと以前から、日本では異界は講談や歌舞伎と切っても切れない関係にあったことだ。『牡丹灯籠』に一つの典型を見るように……

そういえば、その原作者、三遊亭円朝の、ひょっとすると、私は血を引いているのではと疑ってきていた。

私の父は、自身の実父を知らなかった。実母から、なぜか相手の名を明かされなかったからだ。ところが、戦後、某週刊誌に連載された小島政二郎の小説『円朝』に、彼女、すなわち私の祖母の名を見いだしてびっくりした。円朝の長男が、浅草の牛屋あたりで仲居として働いていた、いかにも元旗本の娘らしい「きりりとした女」、竹本某女を見初めて一緒になった、とあったのだ。たしかに祖母、千代は、禄高五百六十石の旗本直参、竹本正光の長女だった。明治維新で没落した家に生まれ、苦労した中で父を産み落としたとしか聞かされていない。私自身、千代の膝下で厳しい武家風の躾を受けて、戦前の深川で育てられた。隠された事実を知って、祖母に話の水を向けたのは、緑風荘で暮らしはじめる四，五年前のことだった。ところが、「そんなこと、云うもんじゃないよ」と、こっぴどく叱られた。否定はしなかった。父の最晩年に思い切って聞いたところ、間違いなく祖母のことであるとの返事だった。もっとも、のちに単行本で出た小島政二郎の『円朝』からは、なぜか竹本千代のくだりは削除されている。ただ一つ、怪しいことがある。幼時から私は、誰に教わるでもなく、よく周囲にこんなことを口走っていた。

「ぼく、大きくなったら、お噺をするお爺さんになるんだ……」

どこからそんな理想像が生まれたのだろう。ともあれ、私の血の四分の一は暗い。もしかするとそのことが、多年この手記を書きたいと思いつづけてきた内的衝動とかかわりがあるのだろうか。

それかあらぬか、国民学校（現、小学校）に入るや、回りからせがまれては、高座ならぬ教壇に上って、いろんな話をして面白がらせるのが趣味となっていた。神隠しに遭ったことなど、自分自身の幼い怪異体験をも物語った。

からんころん……

夏の臨海学校で、夕食後、百畳敷きの大広間で牡丹灯籠を語ると、大受けだった。まんなかに坐った私の周りは宿泊生徒全員の押すな押すなの騒ぎとなり、女幽霊のぽっくりの音を繰りかえすたびに女の子たちが金切り声を上げた。もしかすると、曾祖父が憑依していたのかもしれない。

ロリータ

旧居さがしは諦めて、本郷元町界隈を離れ、外濠ぞいに水道橋のほうへと向かう。もう日も暮れて、右手の元町公園に灯りが点っている。ぼんやり照らされた植え込みが黒い影絵のようで、おや、ここはこんな趣きがあったのかと、つい立ち止まる。当時、よく散歩に来たが、公園内はうら寂しかった。二手に分かれた蟻の軍団が砂場で戦っている光景を、しゃがんで見入ったこともある。蟻の合戦を見せてやるからと、白昼、バーの女の子を連れ出したこともあった。

事ほど左様に当時はずいぶんと原始的な雰囲気だったのが、いまでは文化的になっている。公園の石段手前に、以前はなかった掲示板が立ち、地域の由来を記して、島木赤彦の歌を添えている。

《お茶の水　橋低きに見ゆる　水のいろ
　寒む夜は更けて　われは行くなる》

何のことはない、いまの我が身のようではないか。

そうだ、あの日も、こんなふうに坂を下っていったのだった。「ロジエー」の夢を見た翌朝、いつもの紬《つむぎ》の着物姿で下駄をつっかけ、ぼんやり、後楽園の方角に向かって。

戦後十四，五年、日本はまだ貧しかった。水道橋能楽堂は残っていたが、いま、向こうに見えてきた東京ドームのような化け物じみた大建築は皆無だった。水道橋駅周辺は、荒寥として、ただ茶褐色の風景だった。頭上を通る「省線電車」も、駅もガード下も鉄さびを刷いたようで、ほかに色らしい色はなかった。そこから神保町の方角へと下っていくと、貧弱な家並みの中に一軒の古本屋が店開きしたところだった。何の気なしに、棚から一冊の漫画本を取りだして開いた。一人のやくざ者が外地に出て放浪する物語のようだ。ページを繰ると、男は、巨大な山脈の前に佇んでいる。その名は「天山山脈」とあった……

想い出はそこで、ぷっつりと切れる。そのあと暫くしてフランスに留学し、人生の局面が一変してしまったからだ。十一年間、「合理」の国のエスプリの影響か、超常現象はまたもや遠のいていった。

……とばかり、思っていた。本当は、それは、地下水のように潜行し、稀に信号を送ってきていたのだが、むしろこちらが、外敵に襲われた貝のように固く蓋を閉ざしてしまっていたのだ。パリ生活の合間に、あの漫画本のストーリーを思いだすこともあった。「薔薇の木」の夢のラスト・シーン、「天山路」が、なぜすぐに漫画の「天山山脈」

にオーバーラップしていったのか。そんな記憶をばかばかしいと言い切れない何かが心の底に澱《おり》のように残っていた。やくざな放浪の日本人というあのキャラクターが、どうして俺でないと言い切れるだろうか。バラストを失った船のように傾いた二十歳代。愛と性の間に開いたクレヴァスを、男たちの魂の彷徨の共通の指標と読みとるには、しかし、精神は未熟すぎた。

そもそもこの主題を失ってしまったら、詩も文学も成り立たなくなるであろうに。当時の日本文学でそのことを鮮烈に私に気づかせてくれたのは、川端康成でも三島由紀夫でもなく、高見順だった。あれは、高見順の小説ではなく、詩集——たぶん『死の淵より』——の中だったろうか。娼婦を買いに行ったときの追想を読んだのは。妓楼に着くと、馴染みの女には先客があった。その空くのを待って若き詩人は、二階の窓を視つめながら、路上に立ちつくしていた。あれは哀しみを買いに行ったようなものだった、との告白には泣かされた。いまでも胸を熱くしないで思い出すことができない。

そのころ、フランスの詩壇で、「最も美しいフランス詩の一句は？」というアンケートが行われた。古典悲劇作家ラシーヌの『フェードル』中の《ラ・フィーユ・ド・ミノス・エ・ド・パジファエ》（ミノスとパジファエの娘……）という一句が選ばれたと聞いた。もし日本でそのような選考が行われたとしたらどうだろうと考えた。多くの男たちは、《汚れちまった悲しみに今日も小雪の降りかかる》を選ぶのではなかろうか。かの地の「呪われた詩人たち」が、《巷に雨の降るごとく……》と歌うとき、日本ではこうルフランが聞こえてくる——《わが心にも雪は降る》、と……

いかなる星のもとにこの詩人は生まれてきたのかも知らず、浅はかにも転向者のルサンチマンぐらいに考えて、ペンクラブの集会が揉めたときなど、みんな仲間なんだから仲良くしようよと周囲を宥めにかかるその姿に抑えがたく滲みでる哀しみを感じさせる、高見順という人柄が、私は好きだった。高い背丈をすっきりと伸ばし、母じゃびとはどんな白拍子とたずねたくなるような、この貴公子と、当時『チャタレー夫人の恋人』の翻訳で世上を騒がせていた伊藤整との二氏の推薦を得て、駆け出しの評論家として私は日本ペンクラブに入会したところだった。あの大きな目で、黙って坐るだけで重みのあった川端康成を会長として、「P・E・N」が威光を放っていたころだった。高見さんは、丸岡明や巌谷大四といった常連の文士とうちつれて、よく私を銀座のナイトクラブ、「ラモール」へ連れていってくれた。新橋の地下にあった文春クラブにプレイボーイたちはひとまず屯して、それから夜の街に繰り出すのだった。文人たちに愛でられたそこの珍らかな夜の蝶たちの中でも、とりわけある一羽に私は魅了された。サナギから脱皮したばかりのようなみずみずしさと、それとアンバランスな官能性が、どうブレンドされれば、こうも蠱惑的な異香を放つのであろうか。思わず、「ロリータ」と渾名をつけた。

その後、この名は、夜の銀座に広がっていったらしい。思いがけない機会に、思いがけない人の口からそれが発音されるのを聞いて驚いたのは、それから十年ほどのち、パリでのことだった。ちょっと奥の深いエピソードなので、先のほうで触れることとなろう。晩年の川端康成の傑作として三島由紀夫が絶讃した『眠れる美女』のモデルとなった少女、とのみ、ここでは略記するに留める。

ともかく、官能美も、そこまでいけばほとんど超越的だった。老文豪をとらえた恍惚を、私は理解する。川端康成は、乙女をとおして天女に、天女をとおして異界に達しようとしたのだ。『雪国』の、「トンネルの向こう」の駒子たちは、別世界の女たちを描こうとしたものだと川端から打ち明けられたと、のちにパリで私は芹沢光治良から聞かされるに至る。

川端みずから、ある文章論の中でこう告白している。「私が無名の作家の作品を好んで読むのは、（……）文章の新しい匂や調に触れたいためである」。続いて、こう、さらりと云ってのけるのだ。「少女の肉体を見るのと同じである。彼女に女を求めはしない」

たしかに、『伊豆の踊子』から『眠れる美女』まで、川端は、彼の作家たることの条件である夢のアンチーズ（執念）を裏切っていない。不審の死をとおして広まった処女フェチシズム、ロリコン趣味といった風評をよそに、トンネルの闇のかなたの光を視つめる目に狂いはなかった。

魔界

物質の果てに精神がないと、誰が云いきれるであろうか。

入りやすい「仏界」ではなく、入りにくい「魔界」からの道を行くのがマイ・ウェイであり、「芸術の峻烈な運命であります」と川端康成は云い切っている。一九六八年、スウェーデン・アカデミーでの、ノーベル文学賞の受賞講演というヒノキ舞台においての宣言だった。「仏界入りやすく、魔界入りがたし」との一休禅師の偈を引いて、である。

私はこのことをパリ生活時代に知ったが、この公案的パズルは自分なりに分かるように思った。私自身も、かりそめにも、禅門をくぐってから渡仏した身であったので。「野狐禅」の皮の皮の域を出るものではなかったけれども。

光ではなく、闇に向かってその果てに光を求めるような行きかたは、元来、正道ではなく、鬼道とすべきことかもしれない。いや、そうに違いないと思いつつ、私自身も、ある意味で同様の道を歩もうとしていた。京都妙心寺での参禅体験がその皮切りとなった。そのことは次章で語るであろう。その前に、「魔界」ということで思いだされるもう一人の作家について触れておきたい。芥川龍之介である。

「方外」という言葉が甦ってくる。

この言葉を私は、龍之介の長男で、戦後、舞台俳優として活躍した芥川比呂志の文章で知った。龍之介は、東京の府立三中の卒業生で、私にとっては先輩に当たる。そこで、三中が現在の両国高校となってから、文芸サークル誌の芥川特集号への寄稿を依頼すべく芥川家に赴いたことがあった。龍之介夫人の文さんが健在で、会ってくださった。生意気にも私は、歳にかかわりなく可愛い女性という印象を持った。向こうでも「かわいらしい三中の生徒さんたちが来てくれた」と喜んで、後刻、気むずかしい比呂志氏を説得してくれたらしい。送られてきた原稿の題に「方外」とあったのである。父の筆になるこの二文字の書が壁に貼ってあったのを、物心ついたころからいつも眺めては、読めないものだから、鳥や花の格好になぞらえていた。のちに、方外とは、世間、己に背くこと、の意味であると知ったと綴っている。さすが、印象ふかい短文で、最後の一言が効いていた。

「当時の日本の方内の暗さを思わずにいられない」

とあった。

父の自殺を踏まえている、と直観した。

「背く」とは何かについて、龍之介の自殺後、熟考を重ねたに相違ない。「日本の方内の暗さ」ということで、一見、比呂志の文章は、軍靴の音の高まりつつあった時代を暗示しているようにも取れる。だがそう受けとったのでは、龍之介が死の前に言い残した有名な「ぼんやりした不安」と対応していない。作家は、歴史では死なない。もっと形而上学的なものではなかろうか——形而下的な理由のほうは、伝記作者がいろいろと挙げているが。

いずれにせよ当時読んだときは、「日本の方内の暗さ」という云いかたに、漠然と骨肉の情のようなものを感じた。その印象はいまも変わらない。

川端康成は、最初は、芥川龍之介の死に対して懐疑的だったようだ。冷笑的とは云わないまでも。自分より年嵩であることから、一種の安心感、つまり距離感を置いて見ていたと率直に回顧している。しかし、芥川の「末期の眼」の思想に感銘し、それを受け継ごうとした。「……けれども自然の美しいのは、僕の末期の眼に映るからである」との表白には、文句なしに讃辞を呈している。海のしずくを纏って生まれたばかりのヴィーナスの、眩しい乙女の肢体も、川端にとっては「自然」だったのであろうか。

しかし、最後まで醒めていたのは、川端ではなく、芥川である。芥川に、魔界への耽溺はなかった。むしろ、警戒があった。短編小説『煙草と悪魔』に描かれたように、キリスト教とともに日本に入ってきた西洋伝来の悪魔を透視して。ゴッドは無かろうと、悪魔は在る、と見た。絶筆となった『西方の人』二巻で、「末期の眼」なればこそ、イエスを「ジヤアナリスト」呼ばわりをして、一歩も引き下がっていない。いっぽう、悪魔を知らないではないマグダラのマリアに対しては、逆説的に真実味を感じとっている。

ちなみに、芥川龍之介の命日は私の誕生日である。一九二七年（昭和二年）七月二十四日に他界し、そのちょうど五年後に私は生まれた。もちろん、何の因縁のあるべくもない。ただ、芥川の自殺の意味をあれほど考えた川端が、その四十五年後に自らも一見、自殺し――四十五歳で自決した三島のあとに――、そのある秘められた遺志にパリで私がかかわることとなった巡り合わせを考えずにいられない。自殺する理由がなかったことの証拠を託されたようなものだったからである。三島由紀夫からも、市ヶ谷台上への突入に先立って、あるメッセージを受けた。どちらも、我が第一回の長期滞仏中の出来事で、なぜその時期に自分がフランスに居合わせたのかということになると、説明がつかない。

こうした未来が待っているとも露知らず、本郷元町のあなぐらで、相変わらず奇妙な現象に見舞われる日々を過ごしていた。だが、すでにそこには微妙な変化が現れつつあった。

「ロジエー」の夢のころ、もう一つ尋常でない夢体験を持ったことがそれである。そこで私は伝説上の一人物に同化し、目覚めて一篇の詩を書きあげた。深夜一時ごろ、眠りの中である語句をあたえられたのが始まりだった。《あゝ》で始まる一行で、それそのものは、自分が実生活で実感しつつある内的分裂からの詠嘆にすぎなかった。ところが、目覚めてその一行を紙に記すと、鉛筆は自動書記風に動いて、いつのまにか、「邯《かん》鄲《たん》の夢の枕」の主人公、蘆生なる人物に、自分は成りきってしまっていたのだった。謡曲にも謡われるとおり、「夢の枕」のおかげでこの旅人は悟りを開くが、それを私は追体験し、蘆生の神秘体験の絶頂を生きた。そして邯鄲の宿で、午睡から覚めて蘆生が窓から見たであろうような風景を見、それをも書きしるした。ちょっとした長さになっていたが、もっと長詩に仕立てることも出来たであろう、もしもっと霊感が続いたならば。しかし、夢の気分はだんだんと消え、あとに体験記録が残った。

これを私は「飛箭《ひせん》」と題し、のちにパリで仏訳して発表するに至る。しかし、私自身にとっては、書かれた詩よりも、いかに一場の夢から神秘体験としてそれが書かれたかのほうが、ずっと興味ぶかいことだった。つまり、結果よりも、原因のほうが、である。詩でも、絵でも、いや、信仰でさえも、どこからどのようにという原因とプロセスのほうが、たどりついた結果よりも大事と考える傾向が、歳とともに強まってきたようである。そしていま、このような観点から遡って考えると、この詩の元となった夢の、さらに元となったある心的体験があったことに気づかされる。それは私の浮浪時代のことだった。

父との不和がつのって、家を飛び出し、出戻りをした二十五，六歳のころのことである。のちに、渡欧早々、オランダのハーグの王立美術館で、レンブラントの描いた『蕩児の帰宅』という名画を見て、あゝこれは聖書の語る永遠の主題なんだなと知らされた。黄金色の光の中で、父は息子を言葉もなく抱きしめている。そんなふうに、啖呵を切って家出をし、悄然と帰ってきた息子を、私の父も母も黙って迎え入れてくれた。事業に失敗した父が世田谷に侘び住まいしていたころで、こっちはそれより侘びしい屋根裏の住人となった。程なく安月給取りの身になってまたそこを飛び出し、本郷元町の生活を始めたのだが、前記のごとく勤務先では周囲との軋轢に苦しめられた。学問の道とも離れ、お先真っ暗で、完全に自我は引き裂かれた状態にあった。そんな中で、眠ろうとして眠れず、悶々と夜を過ごすときに、きまって一本の矢が眼交《まなかい》に現れてくるのだった。

きらきらと光りながらそれは飛び翔る。心理学者ならば、呼び名もあろう。自分勝手に私はそれを、生きようとする自己の意志の発現であろうかと受けとった。それさえも見失ってしまったら、もう自分はないのだと考えて。

その矢のヴィジョンが、「邯鄲の夢の枕」の蘆生と同一化する体験を自動書記風に綴った詩の最後に、不意に顕れてきたのだ。

ちなみに、この詩は、「引き絞る人——愛の初め」と題して最初にパリで仏訳発表した。画家のブラックやミロも加わった豪華詩画集『パロル・パント』の一巻に収められて。詩人アンドレ・ブルトン、美術批評家ミシェル・タピエと作家マンディアルグの三氏からなる審査会によって選ばれ、ささやかながら最初に詩人としてパリで知られるきっかけとなる。日本語で詩集『CONCERTO』に収めて出版したのは、ずっと後年のことである。

第三章　風

ド・ゴール特使、マルロー
お茶の水の崖上に、吹きさらしの風を受けて、黒のコートに身をつつんだ長身の人物が石像のように立っている。
その手に、一本の紐。
紐の先には、白布におおわれた小さな物体。その背後に、ぴんと張った日仏の国旗。さらにそれを紅白の幔幕が囲み、その前に正装した人々が居流れている。紙片を手にした一人の青年が、いとも神妙な顔つきで、黒衣の人物にフランス語で声をかける。
——大臣閣下、コルドンをお引きください。
はらりと白布が払われ、黒御影《くろみかげ》の角石が現れた。こう彫られている。
《日仏会館新館定礎
一九五八年十二月十三日
ド・ゴール大統領特使　アンドレ・マルロー》
白衣の神官が、榊を手に恭しく進み出た……
もう誰もそんな光景を憶えている人はあるまい。

が、一枚の写真が残っている。そこにマルローの脇に写っている青年は当時二十六歳の私で、定礎式の進行役兼通訳をつとめていた。日仏会館名誉総裁、高松宮殿下とマルローの間の会話を訳したり、鍬入れ式の鍬をマルローに持たせたり、おおわらわで。

フランスが仮死状態から立ち上がろうとする歴史的モメントに当たっていた。それは、神道の祝詞を受けることから始まった。神々の加護が得られたのか、十六年後、無名の巡礼として最後の訪日をとげたマルローは、那智の滝に「アマテラス」を見るであろう。

人生、何が幸いするか分からない。大学でマルロー論を提出したのを最後に私は働きに出た。ところがその職場に、六ヶ月後、ほかならぬマルローその人がやってきたのだ。濠ひとつへだてた本郷元町の下宿で夜っぴて原稿を書きながら、冴えない顔で昼はビュローに通っていたが、そこである大きな偶然が未来を用意してくれているとは知るよしもなかった。

就職先である日仏会館の館長は、時に、第一次ド・ゴール内閣で法務大臣をつとめたルネ・キャピタン氏という大物政治家だった。氏は、フランス政界きっての「純粋中の純粋」と評された人格者で、第二次大戦中はアフリカ戦線で鳴らした猛将であった。新館落成後、ド・ゴール大統領から本国に呼び戻されて法務大臣を再度つとめたほどで、

1

3

4

2

日仏国交の再開は神道の祝詞から始まった。
1. 1958年、日仏会館新館の定礎式に臨むド・ゴール特使マルローと、傍らで式進行をつとめる著者26歳(50頁)。
2. マルローと高松宮殿下の会話を通訳する。
3-4. 「主君への絶対的忠誠は同時に超越的なものとの交わりの誓いである…」羽田空港でマルロー会の若者らに説き聞かせるマルロー。後方、見下ろす人物はルネ・キャピタン法相(当時、日仏会館館長)

もって国の重石たることを知る。

この人を初めて日仏会館館長室に訪ねた折に、私は、自分の修士論文の仏文レジュメーを持参して献上した。すると次に顔を合わせたときにこう云われた。君のマルロー論を読んで感心したので、妻と娘たちに朗読して聞かせてやったよ、と。ここから、マルロー訪日にさいして、こちらの知らぬまに、その対応役として抜擢されることとなる。

時しもフランスは、戦後の没落から必死に立ち直りつつある最中だった。第二次大戦の戦勝国でありながら、ベトナム戦争とアルジェリア戦争という二つの大厄をかかえ、沈下の一途をたどっていた。再起不能の「フランス病」という語が流行し、諸外国から嘲笑をさえ招いて。

戦後すぐにド・ゴール内閣が発足し、マルローはその情報相、ルネ・キャピタンは法相をつとめたが、文字どおり百日天下で崩壊した。目まぐるしい政権交代が続いたのちにド・ゴール将軍が再度かつぎだされたのは、一九五八年六月のことである。

どういう風の吹き回しか、それはちょうど私が日仏会館に就職した時期に当たっていた。ド・ゴール将軍が国民投票にかけて新憲法を制定し、「フランス第五共和国」を発足せしめたのは、その四ヶ月後である。大統領として元首の位置に就くのは、翌一九五九年一月である。その前夜ともいうべき一九五八年十二月に、ド・ゴール特使としてマルローは来日し、国交再開のシンボルとして日仏会館新館の定礎式に臨んだのだった。

白面の一書生は、はからずもそれを待つ格好となった。

生まれて初めて給料とりの身となって――食べるのもやっとの薄給だったが――戸惑う日々を過ごしていた。取り壊しを目前にした会館《メゾン》の旧館は、趣きある木造洋館で、大正時代にポール・クローデル大使によってオープンされたものだった。そこに若輩は名ばかりの書記の形で入ったが、要するに雑務がかりだった。私は諦めのいいほうで、学資つきて博士課程進学を断念したことを憾みはしなかったけれども、何で分けのわからないところで事務屋にならなければならないのか、気持は晴れなかった。未来は閉ざされていた。ところが、そこに、風は吹いたのだ。象牙の塔に篭もっていたら到底つかめなかったであろう世界の激変の一端を、格好の角度からかいまみる機会があたえられようとしていた。

マルローとの邂逅がそれにほかならない。定礎式の数日前に特使マルローと灘尾文部大臣の公式会見が行われ、その場での出逢いが最初だった。これももちろんキャピタン氏の推薦によるものであろう、まだそんな実力もないのに私は三人の通訳の一員として、会談の行われる文部大臣室の円卓に就かされたのである。（大臣間の会談が始まると、実際の通訳は一人の外交官によって行われたので、新米は恥をかかずに済んだが）。アンドレ・マルローの盛名は一世に轟いていた。しかも我が研究対象である。どれほど動悸の高鳴りをもって主役登場を待ち受けたことか。駐日大使ベラール氏と連れ立って大臣室の入口に立ったマルローの姿は、永遠に忘れることができない。あれほど全身からオーラを発する人を見たことがなかった。

米ソ冷戦たけなわの中にあって、生まれ変わるフランスは、いかなる価値観をもって歴史に対するか、その理念をマルローは灘尾文相に堂々と開陳した。「マルクス主義に対してわれわれは共同の文化防衛に乗り出さねばなりません」と、ずばり、切り出したのに対して、灘尾文相が「そのとおりです」と力強く応じたことをもって絆はむすばれたと感じた。しかし、話の内容にもまさって私は話す人の振る舞いに心を引かれた。それは、「ド・ゴール将軍は、民族自決の原則をもって植民地解放に臨もうとしています」と云いながら、「ド・ゴール将軍は……」の一語を発音した瞬間にマルローが取った仕草だった。そう云いながら彼は、微笑を浮かべつつ右手を差し伸べ、大臣に向かって軽く一揖《いちゆう》したが、いかにもそれは、この世にまたとない尊い名を口にするというふうにみえたのである。どんなに崇拝する恋人の名を告げる男でも、それほどの恭しさを表すことは不可能であろう。その後の長い人生で私は、どれほどあの瞬間の身振りを思い出したかしれない。そしてそのたびに、「千里を旅して君命を辱めずとはこのことでござろう」という『三国志』の名文句を思い出すのであった。

まことに、人間は、言葉におとらず、いやそれ以上にはるかに身体表現、所作によって動かされるものである。

同じ場で、そのことをさらに実感させられる出来事が起こった。

一時間の公式会見が終わってマルローは、そのまま席を立つものとばかり、私は思っていた。ところが、驚いたことに彼は、黒いマントを粋に羽織ると——つとにそのダンディ振りは有名だった——円卓に就いたわれわれ七，八人に順に手を差し伸べて、時計の針まわりにぐるっと回ってきたのである。およそ日本ではまったく考えられないことだった。そして私の右横に立ったとき、灼熱の感情が一気に胸元にこみあげてくるのを抑えきれず、差し出された手を握りしめて、こう云ってしまった。

「大臣閣下、私は長い間、この瞬間を待っていました」

このときだけではない。日本語ではちょっと気恥ずかしくて云えないことを、フランス語では云えるものである。それは恋の口説きの場だけではない。そのときがそうだった。少々芝居がかっていると自分でも感じていた。が、たぶん、ぴったりだったのだろう——マルローの気質に。相手は、手を握ったまま、きっと視つめた。一瞬、時間が静止した。立ちかけた文部大臣をはじめ、高官たちは、何をこの若造が云い出すのかと、不審げな様子である。かまわず、二の句を継いだ。

「私は、大学で、あなたに論文をささげたのです」

こう聞くやマルローは、さっと私の肩を抱き、そのままの姿勢で廊下へと出た。そしてベラール大使との間に私を挟んで、三階からの階段をしきりなしに語りかけながら降りていく。それはまるで年来の知己に対するかのごとく親密な感じなのだが、こっちはぼうっとしてしまって、一語も頭に入らなかった。

それにしても、天下の使者を見送りに誰ひとり出てこないとは……

玄関前には、黒塗りの大型車が待っていた。

別れの瞬間、またも、むらむらと蛮勇が出てきた。私は云った。

「拙論では、あなたをパスカルに比較いたしました」

にっこりとマルローは笑って答えた。

「パスカルのような大天才に比較されたとは、非常な光栄です」

走り去るフランス共和国特使の車影を見送る、そのとき、私は唯一の日本国代表だった。

あのあと、ド・ゴール特使は、入院中の盟友《アミ》、川端康成を見舞いに病院に駆けつけたことを、翌日の新聞で知った。あの粋なマントを羽織り、微笑しつつ着物姿の『雪国』の著者と並んで廊下を歩く、友情あふれる美しい写真は、傑作の一つとして残されている。

のちに川端は、その死の秘密をもあかす重要なミッションをマルローに託し、私はその計画遂行にかかわる運命をたどることとなる。

昭和天皇の反問

定礎式から十四ヶ月の一九六〇年二月に、フランス第五共和国と日本の国交樹立式典と決まった。ド・ゴール大統領のもと初代文化大臣に任命されたアンドレ・マルローが天下晴れて再来する。そして式典会場は日仏会館新館ホールと本決まりとなった。

新館竣工式がそのまま両政府間行事のヒノキ舞台となるということで、会館理事会は緊張した。キャピタン館長は総力を挙げての準備を指示した。私にとっては、運命の風立ちぬ、どころではない。いまや烈風に変わろうとしていた。

それというのも、世間の注視は、誕生早々のド・ゴール内閣の帰趨に集まっていたからである。「ド・ゴール」の名は、日本の世論で芳しいものではなかった。ほとんど「極右」というも同じだった。私の頭には、大学で主任教授――河盛好蔵氏だった――

から云われたことがまだ響いていた。修士論文で何を書くのかと聞かれて、「マルローをやります」と告げると、こう言われたのだ。「ゴーリストとしてのマルローを忘れてはいけないよ」と。「ゴーリスト」（ド・ゴール派）の一語は、吐いて捨てるように発言された。その印象は間違っていなかった。しばらくして、朝日新聞にまるまる一頁を占めて、「ド・ゴールの栄光の鼻」といった題名で河盛好蔵のエッセイが出たが、すべて揶揄の羅列だったからである。

「唯一の被爆国日本」にド・ゴールのイメージが合わないことは確かだった。サハラ砂漠での第一回核実験は、あろうことか、日仏国交式典の予定日のわずか八日前、一九六〇年二月十三日に行われた。核実験成功に将軍は「今日からフランスは大国になった」と宣言し、これは日本の世論の逆鱗に触れた。日本ペンクラブは反論を用意し、副会長の芹沢光治良を介して私に仏訳を依頼してきた。自分もペンのメンバーであるから訳文を起草し、日仏会館寄宿の学者たちに推敲を頼んだところ、立場上、恐れて、誰も引き受け手がなかった。

アイゼンハワー大統領下のアメリカも「同盟国にあるまじき振る舞い」と抗議し、これに対してド・ゴールは「同盟国なればこそ」と応酬した。そもそもド・ゴールは同盟国なるものを信じていなかった。「どこの国とも同盟してはならない」がその信条だった。それに西洋的ロジックからすれば、「唯一の被爆国」なればこそ日本は唯一の核武装国であって当然であったし、米ソ核超大国の谷間に置かれた日本が核武装しない道理がないと踏んでいた。往年の無敵日本が、まさかここまでアメリカ製憲法によって骨抜きにされていようとは、彼らにとってまったくの想定外だったのである。

日本からすれば、逆にまた、そのようなフランス側の心理的反応が十分に読めなかった。インドシナ解放運動からスペイン人民戦線に至るマルローほどの「アンガジェ」(参加者)が、なにゆえド・ゴールごとき「極右総帥」とくっついたのか解せないといったところだった。左翼陣営の目には「変節」とさえ映った。戦前から戦後にかけてマルロー文学のファンが抱きつづけた最後のマルロー像は、スペインの人民戦線の側に立って戦ったそれであったから、無理もない。もちろん、対ヒトラーの戦士としての赫々たる武勲と、大作家としての透徹した人間観は、マルローに対する短絡的な右翼のレッテル貼りを許すものではなかったが、それにしても、なぜド・ゴールとともに?の疑問が世人の胸から完全に消えさったわけではなかった。

どのような深い人間的絆が両者をむすんでいたのかは、新内閣設立の時点においては、外からは見えなかった。それが明らかとなったのは、十年後のことである。ド・ゴールみずから、『希望の回想録』でこう表明したからだ。

私は右手にアンドレ・マルローを置き、今後も置きつづけるであろう。高い理想に燃える、この天才的な友が我が傍《かた》えにあるおかげで、私は自分が卑俗にまみれているのだと自覚することができる。この比類なき証人が私をどう考えていてくれるか、と思うことが、わが確信を強めてくれる。私は知っている。議論沸騰の場において、快刀乱麻の彼の判断力が、かならずや暗雲を一掃してくれるであろうと。

——シャルル・ド・ゴール『希望の回想録——再起篇』一九七〇年

エリゼー宮での閣僚会議の場で実際にマルローを大統領の右側に置いて「主席代行」の位置に据えたことを、このように回顧し、「天才的友《アミ・ジェニアル》」と呼んでいる。この友が、卑俗に堕することから自分を守ってくれるであろう、と。これ以上の信頼はあるまい。

もっと心中を打ち割った表白も残されている。しかもそれは、日付からして、自らを首班とするド・ゴール内閣の組閣の年の始めに書かれたものである。ということは即ち、日仏会館新館の定礎式にマルローが臨席する直前のことだった。

貴下のお陰で、私は、どれほど多くの事柄を明らかにすることが出来たか、あるいは出来たと信じたことでしょうか。貴下のお陰がなかったなら、私は、それらについて不分明のまま死んでいくほかはないでしょう。しかも、それらは、ありとあらゆる事柄の中で、まさしく最も通暁するに値することなのです。

――ド・ゴールよりマルロー宛書翰、一九五八年一月十二日付

これは、当時刊行されたばかりのマルローの美術論『神々の変貌』を読んでの礼状の中の一節である。

ド・ゴールとマルローの関係は、フランスのジャーナリズムではよく「主君と騎士」のそれに譬えられ、それはあながち間違った比喩ではなかったが、かりに「君臣の情」としても、彼らの場合、実に比類なき奥行きを持ったものであることが推察されうるであろう。

いずれにせよ、時経ていまわれわれ日本人を打つのは、自国の累卵の危うきさなかにあって、救国の重責を一身に担った両雄が、政治をこえてこのような魂の次元でむすばれ、はるか日本に畏敬と友愛の手を差し伸べてきたという事実である。

ド・ゴール＝マルローは、共に剣に依って立ち、剣尖のかなたの天を見ていた。

ド・ゴールは書く武人であり、マルローは戦う文人だった。

歴史が流血の繰りかえしであろうとも、我らは文化的創造をもってそれを超越する、

そこにフランスの天与の使命があると二人ながらに信じ、そこから「ブシドーの日本」との共闘を望んだのだった。

そもそも日本を神国というならば、フランスも神国といってはばかりない国である。原初、ノルマン人の侵略をパリのノートルダム寺を最後の牙城として撃退したことに始まり、ジャンヌ・ダルクによる英占領軍撃滅を経て、ド・ゴール将軍による——英米連合軍とともに——対独戦の勝利とパリ解放に至るまで、天佑ともいうべき奇跡的勝利を最終的につねに勝ち取ってきた。どんでん返しのように。しかしながら、ド・ゴール政権は、フランス第五共和国を創成し、旧植民地の解放に乗り出したものの、現地植民者《コロン》たちとのアルジェリア戦争は激化し、国は内戦による転覆の危機にあった。ド・ゴール、マルローの身辺にまで爆弾が投げられ、両人とも強運で難を逃れたものの、叛乱将校たちは落下傘部隊によるパリ占領の寸前にまで迫った。ここで、戦士マルローが武勇を発揮する。ロレーヌ旅団長として対独レジスタンス活動を指揮したときの部下二千人のうち、予備役にある者たちを急遽招集し、コンコルド広場に防衛線を布《し》いたのだ。

危機の一夜が明けて、感謝の電話をかけてよこした大統領にマルローがこう答えたということは、伝説になっている。

「将軍、パリは、一晩くらい夜明かしをするに値する街ですよ」

そんなことが思い出されるが、いまさらマルロー武勇伝に感じてのことではない。フランス第五共和国創成の当時――もはや六十年近い昔になる――を偲んで胸が熱くなるのは、そのような明日をも知れぬ国の紊乱《びんらん》のきわみにあって、「武士道の日本」に二度までも彼が遠来して、畏敬を表した至誠に、いまなお感ずるからである。武士道・騎士道精神の復興がなければ世界は失われると彼は信じていた。

一九五八年に昭和天皇と会見した折に、ド・ゴール特使マルローは、日仏両国民は「武士道と騎士道の対話」を交わしうる国民でありますと申しあげている。それはけっして外交辞令ではなかった。

ただし、そのとき天皇が呈された「あなたは日本に来られてから武士道を思わせるものを一度でも見ましたか」との反問に、彼はぐっと詰まってしまったけれども。

ちなみに、マルローと昭和天皇の間にそのような対話が交わされたことは、その後十四年間、世に知られることはなかった。ニクソン大統領の「電撃的」訪中のあと、日本の運命やいかにと案じて私がヴェリエール隠棲中のマルローを訪ねたとき、初めて披瀝されたことである。そしてそれは三島由紀夫の自決がきっかけだった。

中国革命を背景とした『人間の条件』から、彼自身参戦したスペイン内戦を主題とする長編『希望』に至るまで、「行動の作家」としてつとに二十世紀文学の金字塔を打ち立て、戦後は『神々の変貌』に始まる一連の独創的芸術観想をもって旧来の西洋中心の美学を革新した「普遍的人間」――ロマン・ロランの言葉をかりれば――マルローが、なにゆえ、あえて火中の栗を拾おうとするのか、この一点に世間の好奇心が集まっているのを、私は感じていた。アルジェリア戦争で捉えた敵方捕虜を、ド・ゴール政権側軍隊が拷問していると告発したアンリ・アレッグの『尋問』が世界的ベストセラーになり、これに対して文化相マルローが、反対にド・ゴールの出現によって拷問は抑えられたのだという事実を示して奮戦する様子が伝わってきていた。「拷問を初めて文学の主題にしたのは自分だ」と胸を張るマルローにとって、アルジェリア戦争は、「人間の尊厳の意識化」としての自らの文学の存在理由を証する場でもあった。

この一世の風雲児が、風を巻いて再来しようとしているのだ。

新館ホールで文化相マルローは世界に向けて歴史的メッセージを発するであろう。壇上で、誰が、それだけのビッグ・イベントをさばくのか。それが火種になろうとしていた。

怪傑キャピタン

「司会者」選考事件である。

あとから分かったことだが、キャピタン館長は私を念頭に置いていた。ここから猛反発が起こった。

無理からぬことではあった。こっちは、就職からわずか一年早々の新米にすぎない。論文は書けたが、会話はままならない。そんな私を面と向かって揶揄する職員もいた。こんなことがあった。丹下健三の設計、岡本太郎の壁画という組み合わせによる東京の新都庁舎がフランスの「現代建築大賞」を受賞し、キャピタン氏の肝煎りによる記念式典が現場で開かれた。元パリジャンの岡本太郎は、小背ながら白のスーツを着こなし、派手々々しく大手を広げてのスピーチで、通訳の必要はない。天下の「ケンゾー・タンゲ」の番となった。突然、おまえやれと、誰かが後ろから私を突き出した。大建築家と並んで、やむなく通訳しはじめた。学術用語はどうやらこなせた。が、「空調」という平凡な一語をどう訳すか、ぐっと詰まった……。翌日、事務室に、顎のしゃくれた山岸という職員がやってきた。通訳できなかったんだってと、嬉しそうにへらへら笑う。風は海から吹いてくるばかりではなかった。そのときから、娑婆の風に変わった。

そもそも日仏会館というところは、日仏両政府による半官半民の組織である。フランス人日本研究者の宿舎と諸種の日仏学会の世話をする日仏協会が母体となっている。従って職員の給与体系も日仏いずれかに分かれ、当時の為替レートからして日本側のほうが支給額は低かった。のちにバランスは改められたらしいが、当時は一ドル三百六十円時代だから、その差異は小さくなかった。そしてこのことは、働く職員たちの心理に微妙に影響していた。仕事内容も、日本側はハード、フランス側はソフトといった分担で——当時はそういう用語はなかったが——、同じ日本人職員でありながら、そこから優劣のコンプレックスが生じた。フランス側職員は、館長秘書室をはじめとして、両国間の文化活動一般に従事し、日本側は会員からの会費徴収や建物の修繕といった下積みの仕事であったから、無理もない。私が身を置いたのは要するにそんな雑務係のデスクだった。ところが、どういう風の吹き回しか、ド・ゴール特使マルローの第一回目の到来にあたって、キャピタン館長の指名により、すでに新館建設の定礎式の司会を仰せつかった。それだけでも、古手のフランス側日本人職員にとってはスキャンダルだった。しかるに、いまや新館建設が成り、そこに文化大臣マルローと岸内閣の閣僚を迎えて、日仏国交再開の式典が荘厳に行われようとしている。その栄えある舞台での司会を誰に委嘱するか——これは古参職員たちにとって大問題となっていたのだった。

そんなこととは、こっちは露知らず、またどうでもいいことだった。マルロー思想をどう理解するか、それが喫緊の大事と思って、ほかには興味がなかったからである。ここから、定礎式のあと、あるサークルをつくって共同研究に乗り出していた。マルロー論を大学の卒業論文として書いた同世代の青年たちに呼びかけたところ、東大、慶大、早大を出たばかりの数人が馳せ参じてくれた。これに東京教育大卒業生の私が加わり、「マルロオに学ぶ会」という小グループを立ち上げた。毎月、地道な輪読会を続けていたが、やがて思わぬ役割を果たすこととなる。来日したマルローに質問状を発したところ、会見に応じてくれたのだ。だがそれは後の話である。

その間に、蔭で陰湿な足引っぱりが進んでいようとは知る由もなかった。数人が私の上司にあたる常務理事のところへ押しかけ、中傷に及んだということが耳に入った。次に彼らは自分たちの大ボスに直接にはたらきかけた。館長秘書の日本人女性から、あらかじめ情報をつかんでいたらしい。キャピタン氏に呼ばれて行くと、そこへ連中がどやどやと入ってきた。顎のしゃくれた山岸が、いっそうその顎を突き出して、こう直訴した。

「日仏国交再開の重要式典には、それ相応の権威ある人物が司会をつとめるのでなければなりません……」

そこで、じろりと私に白目を向け、力をこめた。

「この点、早稲田大学のM教授なら、英仏両国語の達人で、国際会議でも活躍した方ですから最適だということで、われわれはみんな意見が一致しています」

するとルネ・キャピタンは、直下に一喝した。

「イル・ヌ・コネ・リヤーン！」(彼は、何にも知らん男だ)

震えあがるばかりの大声だった。

ド・ゴール麾下《きか》、二度の法務大臣というだけではない。対独抗戦の猛者である。画像に見る武田信玄のごとき風貌の薬罐頭《やかんあたま》から湯気の立ちそうなくらい、顔を紅潮させて怒鳴った。起こりっぽいから血圧が高いのか、血圧が高いから怒りっぽいのかと周りはよく噂していたが、かんしゃく玉の破裂は有名だった。日仏会館理事長で国際法の権威、山田三良博士を座長とする理事会を日本料亭で開いたときのこと、日本側が愚図ついたことを繰りかえすのに業を煮やしたキャピタン氏、顔を真っ赤にして、どんとテーブルを叩くと、吸い物の蓋が天井まで舞いあがり、それで衆議一決したということは語り草になっていた。

戦後、「怪傑キャピタン」というフランス映画の剣劇物があったが、ひそかに私はこの名を我が館長に当てはめていた。その痛快ぶりを地でいくような一幕で、これには敵対者たちは一言もなく引き下がった。

が、式典は妨害されようとしていた。

天才の挑戦

ふたたび、お茶の水の崖上——。

だが、こんどは吹きさらしではなく、新築の「会館《メゾン》」がそこに立っている。一九六〇年二月二十二日、その地階ホールで式典は始まった。

司会の大役を仰せつかっても私は正装のすべがなかった。叔父の一人からモーニングコートを借りて着用におよんだ。幸い、ぴたりと合った。

舞台下手のマイクの前に立つと、場内は花壇のごとく美々しい装いの日仏貴顕の士で埋めつくされている。これと真向かって壇上には、名誉総裁の高松宮殿下夫妻を中央に、左右に両政府首脳が整然と居流れている。左側は、マルロー、キャピタンの両大臣をはじめ、各国大使たち。右側は、岸首相以下、吉田元首相、藤山外相、松田文相、楢橋運輸相などの閣僚、さらに田中耕太郎最高裁長官、東《あずま》都知事、茅東大総長といった各界代表の人士である。

「両殿下、並びに紳士淑女の皆さん。メダーム・ゼ・メッシュー……」と、若輩——

二十七歳だった――は声を張りあげた。そのあと何を云ったか、まったく記憶にない。

思い出すのは、日本側の名士たちの長々しい「祝辞」である。川端康成と並んで場内にいた芹沢光治良から、後刻、皮肉られた。「みんな、判で押したように、大正十三年に設立された旧館に代わって……と云うものだから、年代を憶えさせられましたよ」。もっともだ。次から次へと懐から巻紙を出しては似た美辞を並べ立てる。その間、微動だにしなかったのは高松宮妃殿下お一人で、さすがに育ちが違うと、変に感心する声も出たほどだから、他の人々の反応は推して知るべしであった。マルローはどうかと、私は舞台袖から窺った。心なしか、最前列で、うつむきかげんの頭と肩が、かすかに小刻みに揺れている。しかし、どれほどの苦痛を強いられているのか、そのときには想像がつかなかった。

その情景をとらえたのは週刊新潮のコラムだった。日本側長老たちの呪文めいた繰り言に耐えるマルローの苦悶の形相を、コミカルに伝えていた。それが、緊張の極でマルローを襲う、「ティック」と呼ばれる顔面神経症であると私が知ったのは、のちのことである。十四年後、東宮御所で行われた皇太子殿下への御進講の最中に、それは起こった。ほとんど失神せんばかりの症状を見て、通訳の分際をこえて私は皇太子殿下に願い出て、ドクター・ストップをかけさせていただいた……

少なくともマルローの場合、「ティック」は、まったくの心因性のものであったろう。とにかく、天下に紛れもなき高速回転の頭脳の持主である。神経も、人一倍、切れるのが早かろう。ただし、情況が変われば、病状はけろりと直る。いましも、雅楽の悠長さを持った日本側のじゅげむじゅげむは終わり、ようやく西洋側の出番となった。このほうは、いきなり、真打ち登場である。ひとり、マルローは、すっくとマイクの前に立つや、珍しいポーズをとった。古代ギリシアの円柱像さながら長身を伸ばすと、両手を十字に胸の上に組んだのだ。

巻紙はおろか、紙きれ一つ持つでもない。懸河の弁が流れはじめる。日本最高のフランコフォーヌ（フランス語使い）たちが一同に会していることとて、翻訳は不要との前触れだった。（プレス用に、フランス側で用意したレジュメーが集会後に配布された）のっけからして、意表をついた表現ではあった。

「思えば、まことにもって奇妙と云わざるをえません……」

と切り出したのだ。

何がいったい「奇妙」なのかと、満堂、きっと、聞き耳を立てる。と、こう続いた。

「……文化を語らんとして、世界の両端から大臣が、かくのごとく相会するとは――」

その文化とは？

名こそ挙げなかったが、弁士は、二十世紀文明論の最大のテーゼであるシュペングラーの「文明必滅論」への反論の立場をとって語りはじめた。マルロー自らの長い深い芸術観想から引き出された確信を、まっこうから吐露した。

「人間はもはや、自分が謎であるということを知っています」と、挑む。

人類諸文明は、互いに敵視、無知なるがままに興亡を重ねてきた。しかし、その断絶をこえて「かくもしっかりと結び合わされる精神の諸力」もまた、生きている。この存続は、「そもそもいかなる神秘的要素のはたらきによるものか……」

文明必滅のシュペングラー説に対する、芸術観想を元とする神秘主義的世界観のアンチテーゼである。

ルネサンス以前は、西洋のキリスト教文明にとって、イスラムも、インドも、日本も、敵対的存在にすぎなかった。だが現代は、「文明の複数性」という驚くべき発見に至った。同時に、「地球文明」が生まれようとしている。人類は、愛憎にかかわらず、三つの道をとおして相互接近しつつある。

「第一は、科学。第二は、思想の世界に対する外観の世界ともいうべき、映画。第三は、あらゆる藝術作品の複製であります……」

マルロー思想は、どんな高度の形而上学を語っても、つねに具体的メディアの裏付けを持っている。それにしても、不意に云われた「映画」の言葉には、ちょっとびっくりさせられた。桟敷最前列のいちばん右側に川喜多かしこさんが坐っていたが、身を乗り出したように反応したのを私は見てとった。

樋口一葉といった感じの、いつもひっつめ髪で地味な着物姿で通す、この素晴らしい国際的「明治の女」に、私はひそかな敬慕の情を抱いてきていた。時に五十代半ばであったろうか。日本の映画ファンにして川喜多夫妻が興した東和映画のお世話にならなかった者はいない。『巴里の屋根の下』も、ジャン・ギャバンの『望郷』も、夫妻の的確な目による選択のおかげで観ることができた。黒沢明の『羅生門』をヴェネツィア映画祭に出品するなど、日本映画の紹介で果たした貢献も絶大だ。万丈の気炎を吐く川喜多夫妻の実力を見込んで文化相マルローは、このあとすぐ聴衆が耳にするように、破天荒なある企画を打ち上げようとしていたのである。

マルローはここで、一気に旗を揚げた。契りの表明である。

日本のためにフランスはいかなる役割を選ぶか。

それは、全西欧に対して、フランスが、日本の*ジェニーの受託者となるというこ

1

2

4

3

1-3. 「フランスをして大和魂の受託者たらしめよ！」マルロー文化相のアピールに満堂は揺れた。1960年、フランス第五共和国と日本の国交樹立記念式典は、日本側、高松宮妃、岸総理以下の閣僚の参列のもとに厳粛に挙行された(69頁)。著者27歳、その司会をつとめる。
4. ド・ゴールは書く武人であり、マルローは戦う文人だった。両雄、轡を揃えて病めるフランスを再建し、日本に熱い友情の手を差し伸べた(61頁)。

とであります。

＊ジェニー（génie）　天才、精髄。

日本の魂をフランスに委ねられよ、と云ったのである。

これは、個人間なら、愛の告白にもひとしい。恋する男が跪いてハートを抱くポーズをとったも同然である。いや、それ以上に、騎士が一剣を擬して誓いを立てるごとく、というべきか。

ともあれ、これ以上の、畏敬と信の表白はあるまい。

しかも、愛の独占のためではなかった。「日本のジェニー」を、それを知らざる欧米世界に広く伝えるうえの役割を、不肖フランスに授けられよと申し出たのである。

《フランスをして日本のジェニーの受託者《マンダテール》たらしめよ》――この言葉は、実際にその後、日本を深層から理解しようとするフランス知識人たちの標語として広がっていった。

人知れず著書に書き記した言葉ではない。一国の政府代表として満天下に発した告白、誓願である。堂内が感動しないはずがなかった。割れんばかりの喝采が起こった。

若手はどう聞いただろうかと、私は場内を見渡した。

事前にキャピタン館長に依頼して、主要大学の仏文科から何人か学生を選りすぐって、招いてもらっていたからである。「マルロオに学ぶ会」のメンバーも、もちろん忘れずに。靄のように異常な熱気の立ちこめる満堂の顔々の中に、彼らがどこにいるかは、しかし定かでなかった。

弁士は、周到だった。

「この日本のジェニーについて世界が甚だしい無知の中にあることに、しかと留意していただきたい」と強調した。

「日本は中国の一遺産ではない」

と云い切った。

「なぜなら、日本は、愛と勇気と死の感情において、中国とは切り離されているからであります。騎士道の民である私共フランス人は、この武士道の民の中に多くの類似点を見いだすようつとめねばなりません」

日本理解の第一歩は日中の違いを知ることであるとの、核心を、ぴたり指摘した。騎士道・武士道の伝統を持つ仏日両国民は、ここから新たな結束を深めなければならない、と。

マルローの声は透明で、よく透る。その声が、さながらカトリック教会で司祭がアヴェ・マリアの祈りをささげようとするときのように、一段と音程を上げた。

願わくば、我ら両国をして、他の国々に対してかく云わしめよ――諸君が浮世絵的美観の国とのみ思ってきた日本は、実は英雄の国なのである。真の日本とは、世界最高に位置する十三世紀の画家、隆信（藤原）であり、音楽である。「鉄の琴」（琵琶）に合わせて歌われたその歌は、死者の歌、英雄の歌、深遠なアジアの最も深淵なる象徴の一つである、と……

一段と熱烈な拍手が起こり、しばし鳴りやまなかった。

こうして翻訳してしまったのでは形骸しか伝わらないような高度の霊感的スピーチだったことは確かである。

マルローの演説といえば、本国のフランスにおいてさえ他にまったく類例をみない独自のものだった。情感が高まるや、声は震えを帯び、抑揚は大浪のごとくゆったりとして、詞藻の美、思想の透徹と相俟って、聞き手の魂を押しあげ、揺さぶり、一つに溶け合わせる。のちに私はフランスでマルローの「追っかけ」となって、至るところでそのスピーチを聞いて回り、そのことを身に浸みて感じとった。文化大臣として創設した幾つもの「文化の家」の開館記念講演、議会での政治演説、ルーヴル宮殿の中庭で夜半に行われた画家ブラックの国葬での弔辞など、枚挙に暇ないが、最もマルローらしいスピーチは、棺を前にしてのそれ――「追悼演説」（オレゾン・フユネーブル）であると見た。生と向き合うのにおとらず死と向き合った『人間の条件』の作家の情念が、何よりもそこに濃密にほとばしりでていた。

もはや私は、舞台袖から弁士の背中を見ているだけでは我慢できなくなった。正面からマルローを見て、この歴史的演説を聞きたかった。そこで、楽屋から廊下を通って、ホールの入口からそっと場内に入った。満員立ち見の後ろから首を伸ばした。正面、日仏の大きな国旗が並んで吊り下げられた下に、雛壇の人士の前で彼は佇立していた。日本側の長老たちが次々と巻紙を広げた演壇から左手に離れ、一本突き立ったマイクのまえで、全身を衆目のまえにさらして。それはあたかも、無用の物をいっさい排して、ストレートに日本の魂に語りかけようとする意思の表れのようにみえた。

「私がこれまで申しあげたことは」とマルローは普通のトーンに戻って言葉を継いだ。「すべて日仏間で作成したある実行計画にもとづいています」

ここで彼は初めて胸に組んだ両手を解き、懐中から紙片を取り出した。眼鏡をかけ、読みあげる。美術展をはじめとする両国間での壮大な文化交流のプランが呈され、その中の半分は実に映画に関するものだった。「一九〇〇年以前の」フランス製日本紹介フィルム百五十本を寄贈すべく今回持参しましたとの言葉に、軽く場内にどよめきが起こった。江戸市中を昂然と胸を張って歩く武士の姿は、フランス人神父によって撮られたその中のフィルムの何本かによって初めて日本人の目に触れるであろう。川喜多かしこさんが、つややかな頬を染めて聴き入っているのも、無理はない。フランスに対応する日本側フィルムは十本ほどしかなく、ここから日本版「シネマテック」創設に川喜多夫妻の敬服すべき大活躍が展開されていくこととなる。

実行計画のお披露目をもって演説は終わるのかと思い、私は舞台袖に引き返そうとした。ところがマルローは紙片を懐に収め、眼鏡をはずして、さてというふうに腕を組みなおした。語調を変えて言葉を継ぐ。

「しかし、これではまだ単に、交換が問題となっているにすぎません」

何のための「文化交流」か、それを知ることが重要だというのである。

ここから、マルクス主義に対する文化防衛論が滔々と始まった。ただし、「ソヴィエト連邦」という国家を問題とするわけではありませんと断った。大半の知識人が恐れと尻込みの姿勢をとっているマルクス主義思想においては、異質の諸文明をこえて人々の心をむすぶファクターがあるということが否定されている——このことだけは断じて容認できません、と訴えた。

日本の皆さん、マルクス主義思想をまえにして、いまこそ自由世界は自らのスピリテュアリティを確立しなければ……

と云いかけたときだった。ぷっつりと、マイクの音が切れた。

会場は一瞬、動揺した。が、マルローは動じなかった。

こういうときにはこうするものと、錬磨を経てきている。

右腕をタクトのように振り下ろしながら、一語々々、テンポをゆるめて、嚙みしめるように語りはじめた。初めて聞く肉声が辛うじて後部座席まで聞こえてくる。

誰かがコードを切ったな――。

頭から血が引いていくのを感じたときには、私はもう廊下を走っていた。

舞台袖に行って、マイクからのコードを確かめると、そこは切れてはいなかった。

こんどはホールの後方の調整室に走った。こっちが飛びこんでいくのと、二、三人の人影がわらわらと反対側のドアから抜け出ていくのと、同時だった。会場に向かった小窓のまえに坐った音響技師がちらりと私を見たが、すぐに視線をそらした。その男は会館の常雇いだった。いつも青い無表情の顔つきをしていたが、一段と冷たい表情だ。

「どうしたんだ」と怒鳴ったが、返事もない。その間もガラスごしにしゃべりつづけるマルローの姿がみえたが、ようやく演説が終わろうとしているのが感じられた。絶望の思いで私はまた舞台へと駆け戻った……

ひとり、戸外に出た。

さっきまで熱気に満たされていた建物には、もう誰の影もない。暗い如月の空からは白っぽいものがちらほら舞いかけてくる。口の悪い松尾邦之助がスペインの女郎屋みたいだと云った玄関先のタイル貼りの壁の前から、広い正面階段を降りて路上に出ると、あとから出てきたキャピタン館長と出会った。

「マルロー、憤慨していたぞ」

という。

その一言で私の首はがっくりと折れた。

その様子があまりに惨めだったのか、道路を渡りかけながら振り向いて、慰めるように付け加えた。

「深刻に考えすぎるなよ」

「大和魂をフランスに！」

平凡な日常に戻った。

しかし、何かが私の中で切れたようだった。あのコードとともに。

「敵」は、身内にいるのだ。身辺に。

正体はみえない。が、気配はあった。それに、ずっとのちに自分の人生の失墜の元となる深刻な確執と比べれば、私個人にとっての恥辱はともかく、大義の上からのダメージは量りがたいものがあった。すでに見えていた露骨なやっかみの顕れか、それともそれと無関係な何か得体の知れない背後関係か、あるいはまた、両方の結びつきであったか。世間知らずの駆け出しの目にはみえなかったが、それでも黒い影が巧妙に背後に動いていると感じられないではなかった。

壇上でマルローが正面切ってマルクス主義思想への挑戦を口にしたとたん、マイクが利かなくなったことは、ただの偶然ではなかったのではあるまいか。なにしろ、ド・ゴール政権下、東西自由陣営の盟主、日本とフランスの国交再開の政府間式典というビッグ・イベントである。ソ連側から妨害の手が伸びたとしても不思議はない。そういえば、二、三、不審なこともあった。スパイが入りこんでいたことはなかったであろうか。自分の職場に、我が物顔に動き回る日系ロシア人の石炭商があったっけが。愛想がよく、すべての部署に顔を出し、キャピタン館長にもすっかり信用されていた。ボイラー室だけでなく、ホールの機械室にも入り浸っていた。マイクが切られたあと、音響室に駆けこんだ私がどうしたんだと訊いても、専属の音響技師は、じろりと魚のような目を剝いただけだった。

フランス大使館にだって、怪しげな古手の日本人職員がいた。なにしろ、ルネ・キャピタンといえば、ド・ゴール麾下の大物政治家である。駐日フランス大使より格が高いと評判だった。アルジェリア戦争たけなわの最中で、法相としての復帰も間近のことと、機密事項が毎日のように大使と交信されていた。それが、山野というその古手大使館員を挟んで、しばしば動かないのである。むっとして、無表情な男だった。ある日、「怪傑キャピタン」は業を煮やし、ついにぶっちぎれた。怒り狂ってその男に電話をかけるのを私は目撃したことがある。いかなる理由で君はいつも妨害するのかと、薬罐頭を沸騰させて詰問し、こっちのほうが脇で聞いていて脇の下から汗が流れた。

それにしても、あのとき、突然マイクが切られたあと、マルローは何を語ったのであろうか。そこが大事なところだった。私は真っ青になって飛びまわり、続きを聞くどころではなかったが。「日本の皆さん」と呼びかけて、「マルクス主義思想をまえにして、いまこそ自らのスピリテュアリティを確立しなければ……」というところまで聞いた。あのあと、どう語ったのか。そこにいちばん、「自由陣営」としてわれわれが掬《きく》すべき核心があったに相違ない。

しかし、幸い、私には秘密兵器があった。

ホールの舞台袖のカーテンのかげに、テープレコーダーを設置しておいたのだ。

わが愛用の、「でんすけ」と呼ばれるソニー製のオープンリールである。太い乾電池を何本も入れなければ動かない重いしろもので、どこへ行くにも持ち歩き、フランス語マスターに活用していた。キャピタン館長も知っていて、アルジェリア戦争にかかわるド・ゴール大統領の大演説があるときなど、「タケモト、あれ持ってこい」と呼ばれて夜でも駆けつけたりした。館長の家で、マダムや綺麗な娘さんたちと一緒にサロンでくつろぎながら、短波放送独特の波のような雑音と入り混じったド・ゴールの咆哮を、いっぱしの技師のような顔をして録音したものだった。そんなわけで、マルローの歴史的スピーチをまえに、これを聞き逃してなるものかと、役得を利用して、舞台袖のカーテンのかげの小机の上に忍ばせておいたのだった。マルローがマイクのまえに立った瞬間から回しておいたが、ぜんぶ録音できただろうか。

いまとなっては、これのみが唯一の抵抗の武器だ。

キャピタン館長から「深刻に考えすぎるなよ」と暖かみのある一言を聞いたあと、しばし路上にたたずんでいたが、そうだ、録音機を忘れていたと思い出した。そっとホールに引き返し、舞台裏に回った。青白い常備灯に照らされて、奇蹟のようにそれはそこにあった。止まったテープの中に、うまく結語は収まっただろうか。機械をかかえて、ふたたび建物から出た。御茶ノ水駅前を通り、聖橋を渡った。暗い空から雪は霏々と降ってくる。その中を、重い機械をかかえ、滑らないように注意しながら小走りに走った。日本の運命はこれにかかっている。悪党どもに負けてなるものか。左手の崖上に、もはや戦跡となった我が職場が立っている。横町を右へ曲がり、もう一つ右へ曲がり、最後に露地をまた右へ曲がった。緑風荘に入り、取っつきの右手のドアを開けて飛びこむや、ちゃぶ台に「でんすけ」を乗っけて、リールを回した。

朗々たるマルローの声……拍手……

倍速で回す。

声……声……拍手……声……声……声……

「日本の皆さん、マルクス主義思想をまえにして……」

そうだ、ここだ――

「いまこそ自らのスピリテュアリティを確立しなければ……」このあとだ。うまく入ったか。
音が急に聞こえなくなった。あゝ、駄目か。いや、かすかに聞こえてくる。
「……なりません」
いいぞ。ヴォリュームをいっぱいにして耳をくっつけ、書き取りはじめた。

重要なことは、このスピリテュアリティを他から相続したり模倣したりすることではありません。われわれ一人々々が、かつて自らの過去において偉大たりしものを、ふたたび身に帯びる、ということであります……

断固たる止めの一言は、こうだった。

十八世紀になって漸く歴史に入ってきたアメリカやロシアに気を取られていてはなりません。我ら仏日両国民は、米露両国民がいかなる知識風習をも持たなかった時代から、すでに偉大な文明を持っていたことを思うべきであります。

万雷の拍手をもって、ここで演説は終わっていた。

これが同じ「西洋」なのだろうか。米露二大国と完全に異なる世界観をもって、忘れられた日本に語りかける言葉を聞いたと思った。

断じて政治家の言葉ではない。「総意」でも「マジョリティ」でもなく、一人々々の胸に浸み透る言葉をもって訴えている。

大聴衆を前に語りながら、一人の心を選んで、二人だけで対座しているごとく相手に秘託する、このような内空間を、かつて私は知らなかった。語彙からして「アシュメー」（身に帯びる）という動詞がこのように使われるのかと思った。「われわれ一人々々が、かつて自らの過去において偉大たりしものを、ふたたび身に帯びることが大事である」と。これは到底、ただの「保守」というごときではなかろう。

ではこれは何なのかという段になると、未熟な頭にはぴんとこなかった。ただ、国から国への呼びかけとはいえ、愛のごときではないかと、漠然と感じた。一器の水を一器に移すごとき――。

気がついたら、夕飯も食わず、借り着のモーニング姿のままだった。さっきの輝ける殿堂とは大違いの、みすぼらしい四畳半に自分はいた。だが、いまは、何かが変わっていた。ハンガーのぶらさがった壁の向こうに、雲を見ていたのだ。

念ずれば叶う、であろうか。奇蹟はまだ切れ目なく続いていた。「アシュメーする」内空間の秘密を伝授される機会を、その一週間後に得た。さらに親密に。マルローは、公私をはっきりと区別する人だった。私共「マルロオに学ぶ会」の出した質問状にこたえて、すべての公式日程を終えたあと、出発直前に、羽田空港のサロンで会ってくれたのである。狭い室内で、インドの導師《グルー》を囲む弟子のように——まさにそれにほかならなかった——マルローを囲んで五人のメンバーが直伝を受けた。ルネ・キャピタン氏が終始、かたわらで共に耳を傾け、あとで要旨を直筆で書きよこす熱意を示してくれた。

のちに私は世界的にもおそらく「マルローとの対話」の最多記録ホルダーとなるほどの経験を積んだが、そのどれよりもあのときに得た垂示を貴重と思っている。一生の宝といって過言ではない。一言でいえば、そこでマルローは、日仏会館での演説で触れた「精神の諸力の神秘的要素」について啓示してくれたのだ。芸術観想を突きつめて深めたところから彼がこのようなほとんど宗教的確信を得たことは明らかと思われた。レンブラントの肖像画傑作を例に引いて、「天才は生きている、この生きているということが芸術である」と云ったからである。

それはまた、藝術作品は「環境《ミリユー》」の産物であるとするマルクス主義芸術史観への最も有効なカウンターパンチでもあった。

さらにまたそれは、深遠な思想は必然的にミスティックとなるという証左でもあったろうか。われわれ日本側に欠けているのは、越えて見るといったヴィジョンなのかもしれない。あらかじめ提出しておいた質問状の中に「主君に対する絶対的忠誠は、戦後、わが国においては封建的であるとして断罪されたが、どう思われるか」という質問があったが、これに対してマルローは、「主君に対する絶対的忠誠は同時に超越的なるものとの交わりの誓いである」として形而上学的観想の必要なることを示してくれたからである。

「人間は限りなく人間を越えるということを学ぶがよい」とパスカルがいうのはこれであろうかと思った。

この場合、私がひそかに驚きをもって感じたことは――それは『現代文学と神の死の傷痕――パスカルとマルローの比較研究』と題する自分の修士論文のテーマとなっていたものだが――もはやキリスト教信仰なくしてなおかつそのように信仰に劣らず烈しく超越を振り仰ぐ視線の強さ、といったことだった。

十四年後、サークルの中で私だけがいつまでもマルローに寄り添って、ついに那智滝の「垂直軸」と彼の視線の一致の見届け役となったのは、この青春の日の驚きを持ちつづけていたからかもしれない。

バリア

「自らのスピリテュアリティを確立すること……」

「日本の皆さん」との呼びかけで、最後にマルローは究極のメッセージをこうわれわれに発してくれた。だが、皮肉なことに、その最重要の部分がハプニングのせいで伝わらなかった……

あれから半世紀あまり過ぎた。いまや当時はぜんぜん問題にならなかったイスラム・テロなるものが地球的規模で拡散し、それにつれて自由世界では癒しがたく「宗教」への不信が募り、逆に宗教の基盤ともいえる「スピリテュアリティ」への関心が増大してきた。こうした風潮の中で、一九六〇年のあの時点においてすでにあのようにマルローが日本に向かってアピールしたことの意義を、改めて考えずにはいられない。

重要なことは、マルローが、ほかのどの国でもなく日本に向かってこのメッセージを発したということである。キリスト教の神に対しては、つとに彼は「少年時代に受けた聖体拝受の儀式を最後におさらばした」と告白していた。どの国にもそれなりの「スピリテュアリティ」がある。しかし、インド、中国、日本という東洋の三大文明の中でも、最終的に彼が選んだのは、日本だった。哲学者や神学者のようにではない。いわば、美の詩人として、である。日本美術の最高傑作としてつねに藤原隆信の『平重盛像』を選んだが、「これは中国にはないからこそ」であった。平家名将の投げる凛乎たる視線の意味を考えて考え抜き、こう結論するに至る。

「隆信は、重盛像を、《至高のエッセンス》にむすびつける」

また、

「重盛像が表すものは、究極には切腹である」と。

しかしながら、日仏会館でのあのアピールに表れた、あれほどの日本への憧憬と信頼の表白に対して、我が方からはどんな応答を示しえたかというと、それが甚だ心許なかった。早い話、私自身、「スピリテュアリティ」の一語を長いこと「精神性」としてしか訳しえなかった。「霊性」の訳語はまだ出なかった。それから二十四年後に私は筑波大学である日仏シンポジウムを実現し、そこで《二十一世紀はふたたびスピリテュアルな時代となるであろう》とのマルローの名言を我ら「筑波派《ツクビスト》」の旗印として掲げたが、そのときにおいてすら、「スピリテュアルな時代」を「精神的な時代」と訳すに留まっていた。べつだん、間違った訳ではないかもしれない。ただ、もともと、その語根である西洋の「スピリット」には、「精神」とともに「霊」の意味が篭もっていることは確かである。その半分の意味が消えてしまうことが問題なのであった。

そのことは、あのとき、壇上でマルローが云った言葉の中に十分に暗示されたことであったのに。

眼鏡をかけて、壮大な日仏文化交流の計画を読みあげたあとで、それで演説が終わるかと思いきや、ふたたび眼鏡をはずし、紙片をポケットにしまって、さてというふうにふたたび熱気を帯びて語りはじめた事柄の中にこそ、マルロー思想の真骨頂はあったのだ。並みの大臣、高官なら、堂々たる実行プランを示すだけで鼻高々といったところであろう。ところが、マルローの場合には、それは踏み台にすぎないのであった。「これでは依然として交換が問題となっているにすぎません」と前置きして、本音をこう語ったからだ。

ユネスコの文化政策と、自ら進めようとするフランスのそれとを比較してこう云ったのである。

「ユネスコが行っているのは知識の交換ですが、われわれは魂の相互浸透を行わんとするものであります」と。

魂の相互浸透――明らかにこれは、「精神」より深い「霊性」の次元を前提としなければありえないことであった。

対する日本に、その自覚の片鱗でもあっただろうか。日本に霊性文化——と仮に呼ぼう——がないわけではない。ありすぎるくらいにある、であればこそそのマルローのアピールであった。ないのは、そのような認識をもって如何に外に日本を打ち出すかというポリシーなのだ。

戦後日本には、敗戦による自己喪失に加えて、演壇からマルローが大上段に振りかぶって注意を喚起した「マルクス主義思想」への易々たる屈従があった。人々はそれが近世西洋において民主主義と歴史的に同根であることに気づかなかった。日本の、霊性文化といわないまでも精神文化の復興を口にするだけで反動と決めつけられることを、知識人は極度に恐れていた。

かかる風潮に加えて、反対に西洋人に対しては、彼らに日本の何が分かるものかという軽視があった。文化交流は外務省と文部省の管轄だったが、その対応はいささか疑問だった。こんなことがあった。

あれはマルローの戦後初来日の以前のことで、一九五六年頃のことだったろうか、一流のフランス文化使節団が送られてきたことがあった。彫刻家オシップ・ザツキンをはじめ、作家マルセル・アシャール、映画監督クロード・オータン＝ララ、映画女優ミレーヌ・ドモンジョなど、国際的著名士七人である。使節団を迎えるにあたって外務省で日程編成の会議が開かれ、私も日仏会館を代表して送りこまれた。きっと、どんな能を見せるかが問題になると考えて、あらかじめ腹案を用意した。

といっても、私自身は能についてはほとんど無知だった。ただ、幸い、かねて能楽書林の経営者で小説家の丸岡明に懇意にしていただいていたので、事情を話して事前にそのアドバイスを受けることができた。

丸岡明は、私より二十五歳上の仏文系で、エクトール・マロの『家なき子』の訳者だった。名は体を表すの伝で、丸くて小柄の体形で――「ロン・エ・プティ」（まるちび）とひそかに渾名した――赤らんだ丸顔がよく笑った。下落合に立派な屋敷を持っていて、何度か呼んでくれた。築山と芝生の緑一色が流れ入るばかりの客間に着物姿で現れた夫人は、古風な美しさの人だった。ある女流歌人の娘と聞いていた。微笑しながらの話に、主人が、色のついたものは駄目だと云って花は一輪も置かせてくれませんのと、愁訴するような眼差しに、ほんのりと色香があった。その場に慶大仏文科の白井浩司教授が同坐していて、丸岡君、そりゃ奥さん可哀想だよと口をとんがらかしたが、夫子、へへんと笑い飛ばしていた。私はといえば、ちょっぴり夫人に同情しつつも、庭前に立つ一本の松の古木を見ながらこう考えていた。きっと丸岡さんにとって、庭は能舞台と同じなのであろう、どこであれ西洋風のカーネーション一本でも置かれたら形無しと考えているに違いない、と。

丸岡明は、戦後はじめて能楽師を率いてパリ、ローマと公演して回り、「能」ブームを喚起することに貢献した人である。パリのオデオン座公演のときにいちばん熱狂を示したのは天井桟敷を占める前衛芸術家たちだったという想い出語りを、私は興味深く聞いた。あるとき、「いろんな国を回られて、どこがいちばんお気に召しましたか」と質問したところ、言下に「そりゃ、日本ですよ」と返事されたことがおかしかった。また別のあるとき、「青野季吉さんの奥さんから相談されてね」と話し出されたことがあった。青野季吉とはもちろん、社会主義文芸評論家としての長老である。死の床にあって、能面を見たいと云いだした。さる名匠の手になる一品を借り受けてきて欄間に飾ると、借り物を見ながらでは往生できない。ぜひ買い求めよといってきかない。「そうは云われましても」と青野夫人は困り果てたらしい。「明日をも知れないというのに、どうしてもそんな高価なものを買わねばならないものでしょうか」

なるほど難問と感じた。買い物はどうなったか、成りゆきは聞きそびれた。

能の将来は君たち若い者の理解いかんにかかっていると云って、丸岡明は、私と「マルロオ会」のメンバーの一人――著名な美術批評家となった東大出の峯村敏明――を水道橋能楽堂に招いてくれたことがある。ところが、さっぱり何も伝わってこない。あの能楽師たちは能をある種の儀式のようなものだと誤解しているのですよという丸岡明の釈明のほうが面白かった。しかし、幕間に退出しようとすると、そんなでは駄目だねと釘を刺された。

能の専門書の出版元として氏は、能楽書林から膨大な『観世流謡本』を年々刊行しているほか、『能楽鑑賞事典』を書き下ろしたところだった。その翻訳をやってくれないかと頼まれたが、そんなのをやったら命取りになると思って断った。そんなこんなの間柄だったが、フランス文化使節団にどのような能を見せたらいいかという段になって丸岡先輩に相談したのは、私としては当然の反応だった。

話を聞いて先輩は、丁寧に、使節団の滞在中の演能でベストなのはこれこれと指示してくれた。これを腹案として私は外務省に向かった。

「芸術課長」とデスクに職名の置かれた部屋で会議は始まった。そんな立派な官職があるとは知らなかった。芸術課長殿は、高橋某という、眼鏡をかけた色白の人物だった。まず、出席者たちに使節団のスケジュール表が配られた。見ると、もうほとんど歓迎行事で埋まっている。何をいつどこで見せるかと審議は進行して、能の番になった。私は、専門家に相談した結果ですがと断って、これこれが最良の出し物ですと披瀝した。すると芸術課長は、耳を疑う命令を下したのだった。

「どうせ外人にゃ分かりゃしないんだから、空いてるところへ突っこんでおけばいい」

驚いた言い草ではあった。これが日本国外務省「芸術課長」なのか。

こうして不幸な『熊野《ゆや》』に白羽の矢が立った。国際的スキャンダルがここから生まれようとしていた。

これこれしかじかでと、丸岡明に伝えた。丸い赤ら顔はいつもの笑みを引っこめ、歯ぎしりした。沖縄・高知の両県の県知事を祖父とする家柄の御曹司は、さすがに人柄がよく、毒々しい言葉を吐いたりしなかったが、それでも初めて鬱憤をぶちまけた。

「僕は能の海外公演のときに文部省の世話になったんですが、窓口は文化課でした。担当官がいつまでたっても書類を動かさず、賄賂をつかわなければ駄目だと聞いたので、向島に招待しました。ところが、デスクを並べた同僚も呼びたいというので二人を招いたところ、あとで文句を云われたのです」

「まさか、何だというのですか」

「同僚のときには柳島だったのに、向島だったので恥をかいたというのです」

「何という人でしたか」

「Sというのです」

「あゝ、それなら私も知っていますよ」と答えた。「日仏会館の肝煎りで、ある日本美術のパリ展を組織したときのことですが、やはり同じ文化課のS氏が窓口でした。いつまでたっても書類を動かさず、申請者が業を煮やしてカネをつかませたところ、やっとやってくれたと聞かされましたよ」

「文化課とは要するにSとNという役人のことだね……」

磁石じゃあるまいし、SとNで磁場を支配しているとは信じがたかったが、これでは「魂の相互浸透」など、とうてい及びもつかないと肝に銘じた。

能スキャンダル

能楽堂への使節団案内の日が近づいてきた。

その間、『熊野』とはどんな能かと調べてみた。

これはまずい、と思った。名作というだけではフランス側に伝わるまい。動きがなさすぎる。地唄舞のように短時間に凝縮されていればともかく、二時間の長丁場を、せっかちなフランス的エスプリは耐えられるだろうかと恐れた。

なにしろ、十八、九世紀切っての才媛、スタール夫人が、カントの哲学を十分間で説明せよと専門家に迫ったことが語り草になっているような国民性である。私自身も、パリ・マッチ誌のある特派員を羽田に迎えに行ったさい、空港から出しなに、筆紙を手に、ゼンて何だ、五分で説明してくれとせがまれた。ゼンを知るには五分では長すぎるよと答えたら、目をぱちくりさせていた。

『熊野』のストーリーといえば、平宗盛の愛妾、熊野《ゆや》が、郷里の遠江の母の病重しとの知らせに帰省を願い出るが許されず、清水寺へ花見に出かける主君の供を命ぜられる。その道中の京の町の美景が縷々語られ謡われ、日本人には楽しめるが、言葉の通じない紅毛人にどう鑑賞させたらいいのか。ようやく清水寺に着き、宗盛の請いにこたえて舞を舞う。しかし、望郷の思い抑えがたく、《いかにせん都の春も惜しけれど馴れし東《あづま》の花や散るらん》との歌を詠むと、つれない君もそれに感じてついに許しをあたえる――筋書としては、ただそれだけのものである。

「どうせ分かりゃしないんだから」の一言で日本国外務省は、第一級の遠来の文化人たちを、ぽんと完全な異空間に投げ入れようとしている。これは恐ろしいことになると思った。

最小限の解説ぐらい必要と思って探したが横文字のものは見当たらない。そこで諸本を参照して、自分なりに仏文で出来るだけ念入りに紹介文を書きあげ、部数をプリントして当日にそなえた。

ひとり、事務室でそんな作業をしていると、かねて何かと私への妨害のボス役である山岸が現れて、君はそういうことをしてカネを稼いでいるのかと云われた。ない肚をさぐる名人のような男だったが、さすがに頭に来た。ここは日仏相互理解のためにある職場ではないのかねと応ずると、黙ってしまった。当日、重い足どりで、A4版に閉じた仏文解説を持って水道橋能楽堂へと向かった。

華やかに、使節団は現れた。廊下に陳列された能面の前で立ち止まると、まず、ザッキンが異常な興奮を示し、「これこれ、このマスクが凄いんだ」と叫んだ。一行の中でザツキンが最も期待感をもって来ていることは明らかだった。ベラルーシ生まれのユダヤ系で、パリで大成功を収めた大彫刻家は、藤田嗣治の媒酌で結婚したこともあって、親日家としても知られている。興奮しているからなのか、もともとそういう顔色なのか、まさに能の『猩猩《しょうじょう》』を地でいくような赤ら顔の表情で、しきりと回りに講釈してまわる。ほかが無口なのと対照的だった。長身で、ゆったりと、見るからに大家の風貌のクロード・オータン＝ララ監督に、私は近寄って畏敬を表したいのを、ぐっとこらえた。ジェラール・フィリップ主演の『肉体の悪魔』、『赤と黒』、わけても前者は霊感的な一作だった。戦後フランス映画の黄金時代を、この監督ひとりで何割かささえていると云っても過言なかろう。しかし、能は面だけ見ても分かるものではない。女優のミレーヌ・ドモンジョも、作家のマルセル・アシャールも、ふふんといった様子だ。そのとき、会場のドアが開いた。私は慌てて駆けつけ、戸口に立って、苦心の冊子を場内係よろしく一人々々に手渡した。

マチネーというだけでなく、まさに人気のない役者の出演日なのであろう、場内はがら空きだった。貸し切り同然だ。正面舞台に向かって使節団七人衆が横並びに坐り、その後方にやや離れて、文化参事官であろう、きちっとした身なりの外交官夫妻らしき一組が腰を下ろした。私はそこから三列目に陣取った。あとは、点々と二，三の人影あるのみ。レストランと同じで、劇場の価値は客がつくる。すでにひんやりした空気だ。ここへ専門家が現れて歓迎の辞を述べ、能舞台と出し物を説明したなら、分からないながらも一流の芸術家としてみなそれなりに得るものがあったであろう。が、そんなもの、一切なし。それでもそのときにはまだ、好奇心があった。何が起こるのか——。私は、ブルーの表紙をつけた私家版解説プログラムをフランス人たちが開くのを見た。少しでも役立ってくれと、祈る気持で。

こうして、二時間の苦行が始まった。

わけのわからない呪文のやりとり。

鼓を打つときの怪鳥のごとき叫び。

夢遊病者のごとき演者の動き。

いつ果てるともない擦り足（われわれにとっては、この上ない詩的な道行なのだが）

……

原始人の祭儀の場にまぎれこんだ探検家さながら不幸な碧眼人士たちは、最初は神妙に見守っていたが、これはエイリアンの世界だと悟ったようだった。それならそれでいい。が、なぜ我慢しなければならないのか。前記のごとく、フランス精神とは辛抱できない精神である。マルローなら「ティック」が起こっただろう。三十分もたつと、七人衆に異変が生じた。女優は金髪を掻きむしり、男たちは身をよじった。と思うと、私の目の前のカップルがくすくす笑い出した。この機会に、能とは何か、殊勝な気持で学ぶつもりで随いてきたのかもしれない。なにしろフランスは、クローデル大使以来、世界で最も能礼讃の国である。ノエル・ペリ、ルノンドー、シフェールと、大学者による能研究の伝統が百年間も続いている。どこか見どころがあるに違いない。だが、何だこれは。下らないものは下らない。おかしいものはおかしい。いやいや、日本の国宝的芸術と聞いている。とすれば、敬意をもって耐えねばならない。そのうちにきっと何か凄い仕掛が飛び出てくるに違いない。もうちょっと、もうちょっと……

しかし、けっきょく、何も出なかった。

いつのまにか、すうっと終わっている。カーテンコールも何もない。目の前の外交官夫妻は、だんだんと大っぴらに笑いつづけ、最後は二人で顔を見合わせ、突っつき合ってじゃれていた。そうでもしなければ発狂していたかもしれない。私は同情こそすれ、咎める気にはならなかった。

哀れを留めたのは、世界一流の使節団である。一同、ぐったりと立ちあがり、廊下へ出るや、代表格のザツキンが赤い顔をさらに真っ赤にして叫んだ。

「アンシュポルターブル！」(我慢ならない)

新聞はこれに飛びついた。翌日の新聞にこんな見出しが踊った。

「我慢ならない能――フランス文化使節団の幻滅」

翌日、国際能楽協会というところから電話がかかってきた。

女の声で、大変なスキャンダルよ、これは、という。『熊野』だなんて、選りも選って、あんなに動きの乏しいのをフランスの賓客に見せるなんて。丸岡明さんが推薦したっていうじゃないの。あの人は小説家で、能のことは分かりはしないのよ。丸岡さんは別の良い演目を推薦してくれたのですが外務省が受けつけなかったのですと、私は説明した。

が、時すでに遅し。

誤解が誤解を呼び、以後、外国人に能を見せるときには修羅物にかぎると、変な通念ができあがってしまった。

『船弁慶』が一人歩きすることとなる。

この誤解を解くのに、その後、十六、七年もの歳月を要した。能スキャンダルの翌年か翌々年に戦後初めて東京で開催された国際ペンクラブは悲惨なことになった。外人向けの能は「船弁慶」にかぎるとばかり――目黒のさんまの伝で――来日作家たちに披露したところ、デンマークの劇作家リンデマン氏などから失望の声が挙がったのだ。生と死の深い関係をとらえた「敦盛」のごとき名作を期待してきていたらしいのだ。修羅物で動きを見せればいいと踏んでいた日本側の浅慮は、ここでも恥をかいた結果となった。

次に京都で開催された二度目の国際ペン大会――パリから私も参加した――において、夢幻能について深い考えをお持ちの山本健吉氏の提唱により、世阿弥の最高作品「井筒」を上演するに至り、実に十五年ぶりに初めて日本は失態を償ったのであった。

ちなみに、この経緯は、山本健吉の名著『いのちとかたち』の最後に記されている。

*

文化相マルローの啓示から数日後、我が「あなぐら」からぶらり散策に出た私の胸に、こんな過ぎし日の出来事が蘇ってきた。「どうせ外人にはわかりゃしない……」敗戦からわずか十年そこそこというのに、またもこんな不認識なことで、日本の将来は大丈夫なのだろうか……

暗い思いを抱いて、足は自ずと元町公園のほうへと向かう。

左手の崖上に我が葛藤の場、日仏会館がみえる。何者かの手によってマイクが切られ、究極のマルローのメッセージは遮断された。能スキャンダルと云い、断絶は日本の側からもたらされているのだ。

この絶望的不信に対して、しかし、

「魂の相互浸透」
のマルローの声は立ち昇ってくる。
「自らの過去において偉大たりしもの、自らのスピリテュアリティを、ふたたび身に帯びること……」

それが重要であると、切られた演説の結語の部分でマルローは云っていた。

マルローのいう「スピリテュアリティ」とはどういうものか、まだ私にはよく分からない。だが、世阿弥の幽玄は、おそらく、日本のスピリテュアリティの最も深遠なフォルムの一つなのではなかろうか。

「身に帯びる」、「アシュメー」する。

偉大な日本独自のスピリテュアリティをまず自らアシュメーすることなしに、どうして他に伝達できようか。

この伝達、文明間断絶をこえての伝達は「何らかの神秘的要素のはたらきによる」ともマルローは示唆していた。このミステリーの感覚、そして政治にまでそれを生かそうとする根源的姿勢は、到底、いまの日本には求めえない……

が、ひるがえって、自分自身はどうか——と考えを続けた。

「神秘的」を、些細な身辺の超常現象に見いだして自足するような袋小路に俺は入りこんでいるのではないか。小乗的な生きかたに。

人生とは、青春とは、もっと開かれてあるべきではないのか……

いつしか元町公園の中に入っていた。

砂場の脇の藤棚から垂れた枝にわずかに咲く花が初夏を告げている。濠の底辺を、轟然と「省線電車」が通る。どれも殺風景な茶色の車体の。『暮しの手帖』の花森安治がそれを線種によって色鮮やかに染め分けるのは、まだ何年か先であろう。

藤の花房の下から、我が人生のドラマの初舞台となった建物を、もういちど見た。べったりとその一角にしがみついて生きるようなまねだけは、まっぴらだ。そろそろ君も一度パリに行ってこなくてはねという丸岡明の言葉が甦ってくる。

アシュメーする——身に帯び、そして伝えるのだ。

そのような人生を選ぶことが先決だ。

藤の木をささえる細身の石柱の柱頭の、戦火を経たらしい焦げた優美なレリーフに、遠く未だ見ぬ西洋の匂いを嗅いだ。

第四章　重いぞ！

幻影の矢

夢から生まれた詩、「飛箭」を書いて暫くして、私は勤めを辞めた。

そしてかねて念願してきたある行動を取った。京都に参禅に駈けつけることだった。それまで遠くから敬仰してきた一人の老師のもとで一週間の摂心が行われると聞いて、矢も盾もたまらなくなっていた。西田幾多郎門下で京大の哲学教授、かつ禅芸術の百般につうじた碩学、久松眞一師である。その名著『東洋的無』一巻と、先輩から借りた道衣一着を入れただけの風呂敷包みを手に、ある日、緑風荘を出た。

迷蒙の闇よ、ブラック・ボックスよ、さらば——。

東京駅に向かいながら、胸は希望にあふれていた。無明は、そう簡単に晴れるものではないと、どうして若輩に想像できたであろうか。現象は、行く先々に待っている、と。

東京駅で東海道線の夜行列車に乗った。新幹線の走る三、四年前のことで、京都駅まで八時間かかった。寝台車は気分が重いので避けて、リクライニング・シートに身をもたせる旅を選んだ。風呂敷包みを網棚に放り投げて、ようやく自由になれたとの喜びを嚙みしめて。轟々と列車は夜の中へと驀進する。ところが、異界は、置き去りにはされていなかったのである。そうとも知らず、鉄輪の音を枕に眠りに落ちていった……

どれくらいの時間が経ったであろう。夢を見ていた。私の場合、正夢である場合にかぎっていつもそうであるように、総天然色だった。抜けるような青空のもと、緑したたる大野原で、二つの軍勢が激突していた。旗指物が舞い、白刃が切りむすび、甲冑は相打って鳴り、わけても凄まじいことに、騎馬武者たちが雄叫びを上げて駈けめぐっているのだった。私はと云えば、映画館でスクリーンを見るという以上に、その場の中に、入ってしまっているという感じだった。やがて、中央で、一陣の竜巻のようにもつれあった人馬の中から、ただ一騎、こちらに向かって突進してくる武士があった。近づくにつれ、その兜の鍬形は恐ろしいほど陽にきらめき、宙を飛ぶばかりの馬の足掻きがこちらを目がけて衝突してくると見えたとき、私は朦朧と目を見開いた。夜間用の薄ぼんやりした照明のもとで、乗客は一人残らず眠りに沈んでいる。私は、進行方向に向かって、車両の最後部、右側の座席に仰向けになっていた。と、前方、左手奥から、突進してきた一騎が車内に浸透し、寝ている人々の頭上を斜めに突っ切って私の中を駆け抜けていったのだ。瞬間、騎上の武士の顔が大写しとなり、その精悍な髭面を見て、なんとなく、黒沢映画に見る三船敏郎のようだなと考えたのを覚えている。

夢から覚めても、目を見開いたまま、幻影は続いているのだった。それでも、単なる幻覚として忘れてしまったかもしれない、もし、次のことが起こらなかったならば。

暫くして列車は停車した。窓のブラインドを上げて私は外を見た。人っ子一人いない深夜の駅のプラットホームに、裸電球に照らされたボードの駅名が見えた。それを見て総毛立った。「関ヶ原」とあったのである。

ひょっとして、と、携帯した折りたたみ式鉄道図を取り出して、あわただしくページを繰った。いましがた通過してきた地点に、∴印の記号があった。見ると、「関ヶ原古戦場」と記されていた……

こうした出来事は、参禅によって得ようとした正覚の光に照らせば、只の心の迷蒙として一笑に付さるべきことなのであろうか。バラモン教で「マヤ」(幻花)と呼ばれるものがそれかもしれない。それにしても、幻想からの離脱を心がけて、山門の一歩手前で、蜘蛛の糸に絡めとられるようにそこに陥ったとは、よくよく身の因果というべきか。もっとも、あのあと、京都駅に着いたときには、夢の痕跡も残ってはいなかったけれども。

かくて現象は下意識に封印されたままとなった。若さが、迷夢を振り切った。もはや停滞することなく、ようやく未来の一方向へと流れはじめた青春の出発点に立って、夢魔に絡めとられたままで何とする。その未来は、いま、白の浄衣に袴立ちの姿で、花園妙心寺の山門に立った青年の前に、早朝の斜光を浴びて、石畳の一本道として真っ直ぐ突き伸びている。その宏大な敷地に点在する僧院の一つ、霊雲院において、自己と対峙する絶対の時が一時間後に迫りつつあった。

一週間の摂心の期間を、しかし私は三日にして去った。

参禅中に初めて聴く久松老師の「提唱」があり、別室に老師を訪ねて個別指導を受ける「参究」があり、未明から夜半まで、一汁一菜を掻きこむ以外の時間はひたすら坐する行があった。早春、五時、禅堂での座禅は、あちこちでのくしゃみから始まった。わずかな休憩時間に、火鉢を囲んで新参者は集まり、煙草を吸う者もあったが、その一人である私は、吸っても味がなくなったことに気づいて驚いた。体質の変化とともに何かが内側で猛烈に発酵するのを感じていた。結跏趺坐で体軀は不動であるのに、頭は澄み切って活発化し、次々と意想が湧いて抑えきれなくなった。思わず、袂から筆紙を取り出してメモしようとするや、直日《じきじつ》と呼ばれるその日の日直から、大喝されて震えあがった。

「修行中に、筆硯《ひっけん》を弄してはならない！」

昔なら山門から叩き出されるところだったらしい。有難い先達の叱正であった。たしかに、書けば、そこで行道は終わっていたことであろう。

いかにも、道元禅師が「文藝詩歌、捨つべきなり」と云っておられるとおりであった。だが、そこにまた、我が捨てがたき迷いがあった。文藝詩歌は、我が道である。煩悩はその肥やしではなかろうか。悟ってしまって物が書けようか……。こんな稚拙な想念のところを、まだうろうろしていた。

こうして最初の三日間が過ぎようとしていた。夜十一時の解定《かいじょう》の時間が近づきつつあった。正面、阿弥陀如来像の前に立てられた最後の線香は、ちりちりと燃えつきようとしていた。それは、時を刻するとともに、ゴールをも告げていた。そこまでの距離は人によって異なる。他人ではなく、自分がたどりつかなくてはならない。だが、この自分とは何か。それは、しょせん、妄念の堆積にすぎないのでは……

方形の堂内では、臨済宗の流儀にもとづいて、みな、壁に背を向け、向かい合って坐している。薄暗い燈火のもとで、もしそのときの私の顔を凝視した人があったとしたら、額に汗し、真っ赤になって呻いている「赤肉団上」の一凡夫を哀れんだに違いない。線香は、まさに燃えつきようとしている。今日の一日も無明で終わる。明日、それが明けるという保証はない。一生もかくのごときではないか。何も分からないままで……。そのとき、忽然として、あの矢が眼前に現れたのだった。内心の声がこう云った。

すでに己の内に見いだしていたものを、何で他所に求めるのか――。

翌朝、私は寺を去った。

こんな体験を何と呼ぶべきか。悟りなど、おこがましい。印可は老師があたえるものなのに、呈示もしなかった。

このことを私が打ち明けたのは、ある水墨画家を相手にだった。廣瀬楚庵という、もと東福寺の禅僧で、還俗して東山の下河原町に一家を構えていた。久松先生の崇敬者と聞いていた。禅僧時代には、ヴァン・ゴッホ風に麦わら帽をかぶり、炎天下、蓮池で写生をしては何度もぶっ倒れ、水をかけられて起きあがってはまた描くといったふうで、京都三奇人の一人と呼ばれているらしい。

とにかく、誰かに会ってしゃべりたくてたまらず、山門を出るや、まっすぐそのお宅へと向かった。

しゃれた小庭を擁する一軒家の主は、歳は還暦がらみ、たいそう小柄の、いかにも禅僧らしい闊達の人だった。奥さんらしい女性に恭しくかしづかれている。九州のさる裕福な呉服商の後家さんとのこと。東福寺に坐禅に行った息子が廣瀬先生のファンとなって、その紹介でお世話をするようになったとか。ぶっ倒れて、水をかけられながら描いた一点か、さらりとした筆づかいの蓮華の水墨が床の間に架かった二階の一室で、かようしかじかと私は野狐禅の次第を語った。楚庵居士は毒舌だった。ふむふむと聞き終わるや、こう云った。

「わしらの間ではな、一夜禅いうて、一晩で悟らぬ者は阿呆や云うとりますがな。三日とは、あんた、遅すぎるわい」

西の「妙」、東の「妙」

京都から帰った翌年、一九六二年に私は、フランス政府の給費留学試験に合格した。渡欧は翌年春と決まった。

当時の私は、禅のある面——密教的側面——と、現代フランス思想の一傾向との間に類似点を見いだして、異常な好奇心に駆り立てられていた。どちらも、闇を払うのではなく、闇をとおしてでなければ見えない光を肯定している、という意味において。

この場合、特に引きつけられたのは、闇の奥の発光といったヴィジョンに対して、あえてそれを「サクレ」（聖なるもの）と呼ぶフランス知識人の精神傾向だった。

「サクレ」とは、第一次大戦末期にドイツで出版された歴史的一著、ルドルフ・オットーの『聖なるもの』（邦訳、岩波文庫）の中心概念である。同書は、宗教界のみならず文化界全般にわたって、二十世紀の主導的理念の一つとして大影響をあたえてきた。平たくいえば、世界の諸宗教が「神」と呼ぶものから、一切の付属物を排して、「ただ光のみ」を煮詰めて抽出した元素のごときもの、これを「サクレ」と呼んでいる。しかし、私が惹かれたのは、そのようなまっとうな——顕教的——性質のものではなかった。むしろ、「逆転のサクレ」とも呼ぶべき密教的性質のものだった。そしてこれに目を開かせてくれたのは、どんな聖典でもなく、一冊の美術書だった。アンドレ・マルローの名著、『ゴヤ論』である。

あるとき、マルロー紹介の大先輩にあたる小松清が、これを訳してごらんといってその原書を貸してくれたのが、きっかけだった。まさかそのときには、後年、自分がそれを訳出して出版に至ろうとは想像もしなかった。なにしろ、一介のフランス語学徒が逆立ちしても、とうてい太刀打ちできるようなしろものではない。しかし、傑作なるものは、難易をこえて魂を打つものである。スペインの天才、ゴヤの絵画という具体的素材を踏まえて展開されるマルロー思想と修辞の輝きに、私は魅了された。その核心に「逆転のサクレ」の発想を見いだして目まいしたのである。

のちに、パリ在住中に私は『ゴヤ論』を翻訳した。芸術新潮の名編集長、山崎省三が、パリまで電報をよこして、翻訳を掲載したいと云ってきた。マルロー本人から私が翻訳許可を得たということを、拙宅を訪ねてきた美術批評家の針生一郎から聞いたとて、急き込んだ感じだった。マルロー『ゴヤ論』の名声は、それほど、美術界では伝説的に高かった。拙訳は二年間にわたって同誌に連載され、のち、新潮社から単行出版された。高階秀爾、東野芳明といった著名批評家が各紙に大きく筆を取り、特にマルロー「サクレ」思想に照明をあててくれた。

ところで、同書の新潮社版は小型サイズだが、ガリマール社の原著は大判の豪華本である。著者自身の意向に添って、図版そのものをして語らしむべく巧みにレイアウトされている。すなわち、マルロー独自の「空想美術館」の概念に従って、図版そのものを一種の啓示たらしめようとしている。この仕掛は見事に私に対してはたらいた。なかんづく、あるページに見開きいっぱいに掲げられた「魔宴《サバ》」と題する魔物の大集会の絵と、そこに配置された本文の章句とから、一生忘れられない電撃を受けたのである。

……ゴヤに憑きまとうサクレは、その否定的性格によってわれわれを打つ。すなわち、その陽画を想定せしめる写真フィルムのネガチフ、それを透かして星辰のまたたきの窺いみられる黒ガラス的否定性だ。

後年、拙訳を読んで澁澤龍彦が、「黒ガラス的否定性とは巧い表現ですね」とパリまで感想をよこしたが、たしかに卓抜な比喩ではあった。いかにも、太陽は肉眼で視つめることはできない。

ともあれ、「黒ガラス的否定性」の一語で、私は、黒い水の洗礼を受けたような気分になった。

京都に参禅に向かったのは、そんな抽象的概念で頭をはちきれんばかりにしていた駆け出しのころである。小松清から、「マルローは京都のある禅寺で、ここには悪魔は居るかと訊いて、住職の目を白黒させていたよ」と聞かされたことを思い出したりした。ただし、そうしたエピソードを聞かされても、ぴんとこなかった。日本には、妖怪はあれども、悪魔はいない。悪魔とは空想的産物ではなく実在のものだと私が確信するに至ったのは、のちにヨーロッパ文明のただなかに深く身を置いてからのことである。

ただ、『ゴヤ論』の中に、「亡霊」と題するエッチング作品を見たときは、はっと思った。大笑いする怪物がばかでかい右手を上げている図だ。これを見て、十歳のころ、国民学校の教室で担任の先生の手がだんだんと大きくなってくるのを見たときの恐怖を、まざまざと思いだした。この絵についてマルローの書いた言葉が、また卓抜だった。

「これらの暗い存在群たる怪物は」というのだ。「夢、殊に夢想が、幾百星霜の時の底からゴヤに引きずりだしてきて見せたものである」

ここで、マルローは、「ゴヤが見た」とは云っていない。「夢、殊に夢想がゴヤに見せた」という注意深い云いかたをしている。ゴヤが主体ではなく、夢が主体だと云っているのである。

云い替えれば、夢が脳をつつんでいるのであって、脳が夢を見るのではないということになる。そのつつんでいる何かが、私にも見せてくれたのであろうか、あのばかでかい「手」を——東京の深川で。

マドリッドで、ゴヤに見せたように。

それにしても、奇妙なことではあった。ゴヤのエッチングの黒が表すような闇のかなたの光を、「サクレ」として捉え、その闇そのものを「黒ガラス的否定性」として形容する西洋精神なるものは。

だが、なぜ、あえて、「神聖」の概念にむすびつける必要があるのであろうか、そのような「醜悪」の極まりを。

そこに、私は、西洋文明の一つの極性といったものを漠然と感ぜずにいられなかった。が、それ以上は無理だった。いかにも、「ゴイエスク＝ゴヤ的」と呼ばれる悪霊的領域があるらしい。しかし、それが特殊な幻想といったものではなく、「光の世紀」と呼ばれたフランス革命の十八世紀の進歩的人間像の裏返しであるということに、実感的にまだ自分の理解は遠く及ばなかった。ちなみにマルローは、ゴヤと、革命家サン・ジェストと、『危険な関係』の著者ラクロの三人をさして「黒い三角形」と呼び、その観点からアップして書いたのが『ゴヤ論』だったのである。

重要なのは、「ガス室と原爆で二十世紀に悪魔が再現した」という、この視点である。『悪魔の陽のもとに』というベルナノスのテーマにも見るように。悪魔は生きている。復活している。どうして十八世紀ヨーロッパの一天才画家の「幻想」に留まるはずがあろう。

しかも、自分自身、それにかかわろうとしているのではないか。なにしろ、あゝ、悪魔の実在する本家の文明たるヨーロッパへと、いままさに旅立とうとしているのであったから。

旅立ちに必要な心準備を二人の世界的名声の禅老師のもとで持てたのは、身にあまる幸運であった。

「黒ガラス的否定性のサクレとは、日本では何に当たりましょうか」

と、久松眞一、鈴木大拙の両師に順に尋ねたのである。

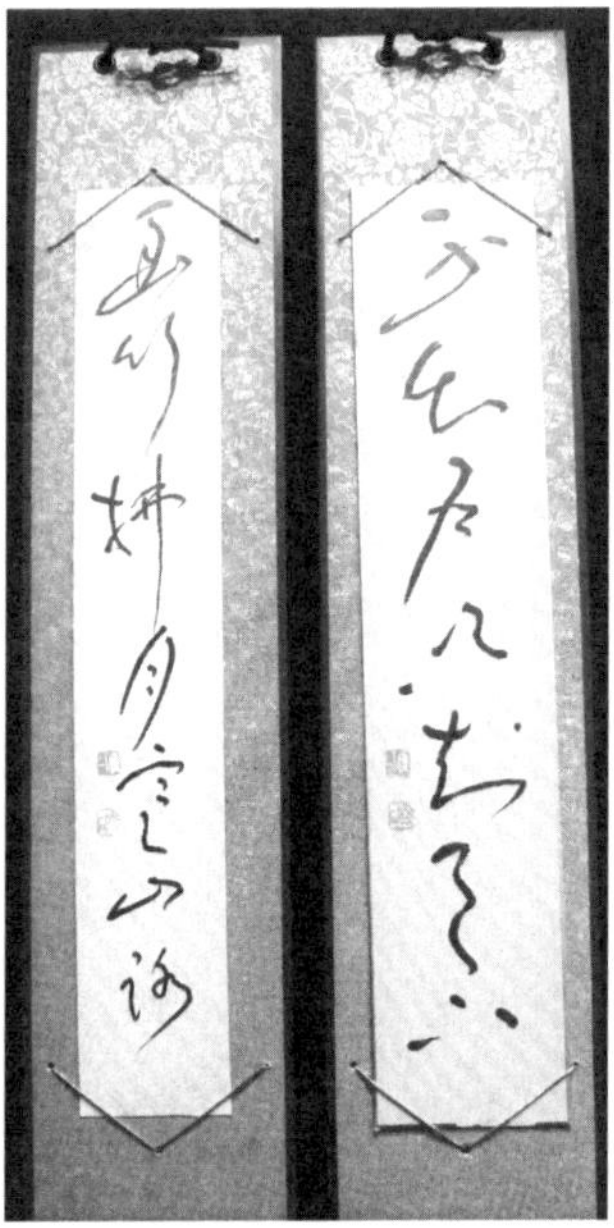
1

2

3

「“黒ガラス的否定性のサクレ”とは日本では何に当たりますか」との著者28歳の問いに、妙心寺で久松眞一師は「妙」と答え、円覚寺で鈴木大拙師は「忝なさ」と応じた(122頁)。
1-2.　久松眞一師が著者のために揮毫した短冊
3.　軽井沢山荘での鈴木大拙師と著者。撮影　土門拳。

京都、妙心寺での久松先生の答えは、こうだった。

「それは、《妙》に当たります……」

坐禅の間に、霊雲院の回廊を通って、恭しく拝をする新参者に、拝を返されてからの即答であった。

鈴木先生には、鎌倉の円覚寺に初めてお訪ねしたときに同じ質問を発し、次に再訪したときにご返事を頂いた。

「君が、このあいだ訊いとったサクレじゃがのう、あれは日本では、西行法師の歌に云う《忝なさ》じゃよ。何事のおはしますかは知らねども忝なさに涙こぼるるという、あの忝なさ、有り難さじゃな……」

法師のことを「ほっし」と発音されたのが印象に残った。

それにしても、一つの奇妙な偶然が働いているように感ぜざるをえなかった。なぜか、そのころ、大拙師も《妙》の一字にこだわっていたらしいのである。このことを教えてくれたのは、かの有名な愛弟子の岡村美穂子さんだった。全国から揮毫を依頼して送られてくる色紙の山を示しながら岡村さんはこう云うのだった。

「このごろ、先生は、揮毫を頼まれると、なぜか《妙》という字ばっかり書いていらっしゃいます。ただ、女偏ではなくて、玄という字の偏ですが。これは、妙の古字とのことです」

そういうが早いか、一枚の色紙をさっと大先生に差し出した。反射的に、大拙師は、雄勁な男性的筆致で《妙》の一字を書き、私に手渡してくださった。

ともあれ、西の老師を訪ねれば《妙》を示され、東の老師を訪えば《妙》を呈される。漠然とながら、これは只の偶然であるまいと感じた。その後、一生にわたって私は、偶然・必然の堂々めぐりから容易に脱しえなかったが――人は一生そんなふうではなかろうか――思えば、人生のとっぱなに、越える視点をあたえられたのだった。

《二見ヶ浦一目に見れば富士の雪》という仙厓の句が思い浮かぶ。伊勢、二見ヶ浦の、海中の二つの巌に張ったシメナワのかなたに、ぼおっと富士の嶺を描いて、これに賛したものである。二分性《にぶんせい》に囚われている間は、かなたは見えない。《一目に》見ることで、そのはたらきにおいて、《富士の雪》は玄妙に立ち顕れてくる。

「妙」とは、闇中の光「サクレ」に対する日本からの至上の答えなのであった。


「女」と、「玄」と――。

天地の根源は玄にして、そこに光が点じてこの世界となったと、古来、洋の東西を問わず神話的伝説において云い伝えられてきた。近頃の宇宙創生論にも通ずるヴィジョンであろうか。

云い替えれば、もともと何もない「からっぽ」から「存る」が顕れた。宇宙は、無くて元々のところ、なぜ「在る」ほうに片付いたのか。それを「ゴッド」抜きで説明しようとしたとき、西洋では哲学が生まれた。

だが、東洋では、たしか老子が、宇宙の元を「玄牝《げんひん》」と呼んでいる。このほうがわれわれには妖しくも的確なイメージのように思われてくるのだった。

「海賊とよばれた男」の懐刀

一人の男性が目のまえに現れ、死してのち、いまに続く濃い影を私の上に落とそうとしていた。その名を、松見守道という。出光興産創業の雄、出光佐三翁の懐刀《ふところがたな》だった。「店主は真に彼を愛していましたなあ」と、死後も出光興産の社内で惜しむ声が絶えない。生前、彼を知る人は誰しもその異才に驚き、「出光の松見」の名は知る人ぞ知るというふうだったが、松見自身は偉大なる出光翁の影武者の役に徹し、いやしくも自己をひけらかすことを固くつつしんでいた。側近中の側近でありながら、従って、出光伝の類には影すらもみえない。百田尚樹氏の『海賊とよばれた男』にもまったく出てこない。同書のフィナーレに、一九七四年に行われた出光翁とマルローの会見のことが記され、両雄を引き合わせた私のことにも触れられているが、当時パリ在住の自分と呼応してこの会見を準備し、会見の場にも立ち会って、私の通訳する両雄の歴史的会談を筆記したのも、彼であった。

この人物と私の関係は、最後には臨死体験をほとんどリアルタイムに私ひとりに伝えてくれたところまで行き着いたような、特殊なものだった。この手記の「第三巻　流浪篇」で詳しく語りたい。

そのような因縁の人と初めて出遭ったのは、鈴木大拙師のあるテキストの仏訳を依頼されたことがきっかけだった。国際文化振興会（現、国際交流基金）を介して、当時の私の勤務先である日仏会館に委嘱された仕事が、なぜかこちらに回ってきた。出光佐三翁の全面的バックアップのもとに、そのコレクションである仙厓《せんがい》の禅画作品の展覧会が欧州を巡回中だったが、鈴木大拙師によるカタログ解説の仏訳という大仕事で、カタログ解説といっても、並みの美術鑑賞の比ではない。天下の碩学が蘊蓄をかたむけた一冊の思想書で、誰もが敬遠するであろうその翻訳という難行を、しかし私は生来の楽観主義から躊躇なく引き受けた。

その依頼人として現れたのが松見守道だった。

奇態な人、というのが初印象だった。

訳稿を持って、指定された国際文化振興会の事務所で対面した。現れたのは、年のころ四十二、三歳、度の強そうな眼鏡をかけ、精悍な面魂の、がっしりした胸幅の人だった。どことなく変わった匂いがする。原稿を渡すと、「いちど、お遊びにいらっしゃいませんか」といわれた。丁重な物言いなのだが、そのあとに、「えっへっへ」といった笑い声を聞いたような気がして、けげんな思いがした。実際は、耳の遠いのをごまかしての作り笑いだと知ったのは、後のことである。

りゅうとした紳士の身なりに、どこかそぐわない気配だ。「わたし」というところを「わつし」と、「つ」の音を軽く発音するのも初耳だった。どこかの方言であろうか。何となく、その筋の人という感じもする。ある意味で間違った印象ではなかったかもしれない。

これが、その後、わが人生と切っても切れない縁をむすぶこととなる男の初印象だった。

しかしながら、大げさに聞こえようが、この人は、私の記憶の中では、ちょっとしたスーパーマン的な異能の持主として留まっているのである。還暦前に亡くなってから四十年も経つというのに、いつまでも色褪せることのない驚きをこめてしばしば周囲にその想い出語りをするものだから、どんな感じの人でしたかとよく聞かれる。が、長いことヨーロッパ生活をも共にしたというのに、不思議と写真が一枚も残っていない。そこで、このごろでは、「ゴルゴ13」に似た男と答えることにしている。口唇の線の感じなどそっくりだから、眼鏡をはずし、もみあげをもっと伸ばしたら、劇画の主人公にぴったりだろう。容貌だけではない。格闘技の達人だったし、戦場では猛者だった。パリの街中を歩きながらも、「喧嘩なら負けたことがない。いまだって……」とぽつり洩らしたりするふうであったから、映画にでも出て「スーパー・スナイパー」役をやったらさぞ似合ったことだろう。

　といって、今風の、つまり外面的にかっこいいというタイプではなかった。映画のスーパーマンが普段は冴えないサラリーマンで、周りから無視されているように、出光興産社員松見守道は、難聴を隠し、にこにこしているだけのことが多かったから、何も知らない若い女性社員などから軽く見られるようなところさえあった。本人は、「肥後もっこす」と自己定義していたが。「武者のよか」とも聞かされた。いずれも熊本では「かっこいい」の誉め言葉だったらしい。ただし、行動において粋なのであった。そしてそれを神のごとく知る人は、彼が忍者のごとく使えるところの、出光店主ただ一人だった。次に知る人は愚生、ということになるだろうか。それにしても、かつて見たことのないようなタイプに、正直、当初、私は戸惑いを隠せなかった。

しかし、どこか惹かれるものがあって、貰った名刺を手に「出光興産美術室」を訪ねた。いまと同じ皇居前の帝劇ビルの最上階の一角に、現在の出光美術館の前身の美術室は置かれていた。松見守道は、そこで進行中の美術館設立の中心スタッフだった。にこやかに和服姿で現れ、周囲に紹介してくれたあと、館内の茶室に案内して、そこで「男茶もいいものですよ」と云いながら茶を点《た》ててくれた。

出光翁の信用絶大の側近とは、本人も云わず、誰も教えてはくれなかったが、翁の隠れ家にまで自由に出入りする唯一の腹心であるからには、自ずとそのことは窺い知れた。サングラスをかけ、あの時代にはまだ珍しいアルファ・ロメオやジャガーを乗りまわしていた。私も軽井沢の山荘まで同乗させてもらったが、まだ高速もない時代の田舎道をびゅんびゅん飛ばし、こっちは、後ろを振り返って白バイの見張り役をやらされた。停車するたびに人だかりがした。やれるものはすべてやった、飛行機のライセンスだけは目が悪くて取れなかったと聞かされた。

芸術家的素質も十分だった。なにしろ学生時代から春画を描いて稼ぎ、家から一銭も仕送りを受けたことがないという器用さである。出光コレクションの一つに、現存陶芸家としては最高の板屋波山があったが、その作品とそっくりの壺を自宅の庭の電気窯で「ころっと作ってみせて」店主を騙したこともあった。本物なら一千万円もするというしろもので、「お前は恐ろしいやつじゃ」と、さすがの老翁も舌を巻いたという。

「わっしは、熊本の御殿医の家系に生まれましてな……」

軽井沢の出光山荘で、あるとき、そんなふうに問わず語りに松見守道は語りはじめた。いつ店主が来てもいいように、ときどきそこを訪ねては床の間の掛軸を入れ替えるのも彼の仕事だった。

「父は、陸軍少将で軍医総監でした。これは森鷗外と同格で、ほかには例がありません」と、誇らかな口ぶりである。

先祖は、松見姓の、徳川家の御殿医だった。のちに私は、「特攻の父」、大西瀧治郎中将のことを調べて、中将の夫人がやはり松見家から嫁いできた人で、松見守道と共通の御殿医を先祖とすることを知った。

そのような名家の跡取りとして一人っ子の守道少年が父親から医業を継ぐことを期待されたのは当然だった。しかし、本人は上京して明大に入り、人生を斜めに突っ走ってしまう。ボクシングと柔道に熱中して鼓膜が破れ、ストマイを打ちすぎて難聴となり、左の耳だけが、電話を使うせいで辛うじて聞こえる程度となった。（それでもなぜか、竹本さんの声だけはよく聞こえると云われたものである）。ボクシング部と柔道部の主将を兼ね、警察に師範として出稽古に呼ばれていたが、他方、腕を買われて、新宿の万力徳兵衛というやくざの親分の用心棒となった。毎日、ほかの縄張りの相手と乱闘を繰りかえし、仕返しされることもしばしば。が、そんなときは、警察が留置場にかくまってくれ、そこでは先生あつかいされた。さるうちに、万力徳兵衛の妾と深い仲になり、命を狙われて……と、飛んでもない方向に話……いや、人生は発展していくのだった。

「松見さん、さぞ男っぷりが好かったんでしょうね」

と水を向けると、

「村一《むらいち》……」

と、「だった」を呑みこんで、無表情に返事する。

しんとした落葉松に囲まれ、初春の木漏れ日が縁先に落ちる内側で、二人は坐っていた。床の間に、前の仙厓の軸をはずして、「気に入らぬ風もあらふに柳かな」の軸が架けかえられた。この一室で、アメリカの某紙に書かれた「哲人経営者イデミツ」氏は瞑想するのであろう。

「わっしは、不死身の松見といわれちょります」

と話が続く。

それは、ある青年期の体験に始まるのだとか。

徹夜で麻雀をやり、翌朝、車で出た。途中、睡魔に襲われ、不覚にも眠ってしまった。突然、急停車のショックで目を醒ますと、下の方で海がうねっていた。なんと、崖上の曲がり路を曲がらずにそのまま直進し、そこに突き出た松の木に乗りあげて止まっていたのだった。

ほかにも、強運のエピソードは幾つも聞かされた。

戦争体験もあった。「なにしろ、泣く子も黙る熊本第六師団ですからな……」中国軍は戦わずして逃走した。突撃ラッパが鳴るや、わっしはいつも真っ先に塹壕から飛び出して突進した。ところが、「竹本さんのような文弱の徒は、後からこわごわ出てくるものだから、かえって態勢を立て直した敵兵に撃たれてしまうんですな」

その後、何度となく、耳の痛い「文弱」の台詞を聞かされることとなる。

たいへんな強力《ごうりき》であったらしい。いつも三人分の背嚢をかついで行進し、三人一組の機関銃隊の中央射手として奮戦した。敵の砲弾を避けては撃ちまくり、両端の戦友が順に狙撃されて倒れても、彼一人は最後まで生き延びた。

飛行機が落ちても死なないとの信念がそこから生まれた。そのいっぽうで、短い寿命を覚悟していたようだ。癌で父が早く逝ったので、と。ひそかにそこから運命に抗しているようにもみえた。「頑張り屋の松見さんと云われていますのよ」と美術室の女性スタッフから聞かされたこともある。たしかに、高島平から三田線で通勤していたが、帝劇の地下の駅から最上階まで十二階分を、毎日、エレベーターを使わずに駆け足で上り下りしているとのことであった。

このように述べてくると、松見守道の人物像について、いかにも「武辺者」一辺倒といったイメージをあたえかねまい。そこで、もう一つ、別の側面に光をあてておこう。映画『Ｓｈａｌｌ ｗｅ ダンス?』のような噺を一席――。（ちなみに私は周防正行監督のこの作品の熱烈なファンである。）

我らが主人公は、出光興産入りして、まず、販売部で働く身となっていた。いつも同僚と出かけるダンスホールにナンバーワンと云われるダンサーがいて、誰が彼女を射止めるか、みな虎視眈々だった。ところで、松見流は、何事につけ、古い日本男子の典型で、黙って尽くすというタイプである。ほかの仲間があの手この手でヒロインを口説き落とそうと躍起のなか、彼ひとりは、毎晩、ホールのはねるまで待って、黙々と彼女を家まで送っていった。それだけだった。

「固い女でしてね、ぜったいに中に入れとは云わない。ありがとうで、門前払いでした……」

いよいよもって『Ｓｈａｌｌ ｗｅ ダンス？』の役所広司と草刈民代の路上シーンに似てくる。

こうして夜ごとに送りつづけて、ついに、ある晩、「お茶でもどうぞ」の一声を聞いた。

「次の朝からは、毎日、そこから会社出勤でしたよ」

そして付けたした。本当か嘘か、いまだに首をひねるところだが——

「ちょうど百日目でした。深草の少将です……」

これには後日談がある。これも時効とみて、語らせてもらおう。

本物の少将、陸軍少将のほうの父は、郷里の熊本で噂を耳にして激怒した。一人息子に良家の娘を娶《めあわ》せるべく話を進めている最中だったのだ。しかるに、医業を継がないのみならず、何たる不始末！　そこで一計を案じた。そうとも知らず、色男がある日、会社から帰ってくると、彼女がいない。留守中に母が来て、因果を含めて身を退かせたのだった。

「わつしは、日本中探しましたね。しかし、女というものは大したもので、そうと決めたら、二度と姿を現さなかった……」

男の値打ちは、愛する深さによって測られる。

「わつしは女運がいい」と、大いにもてたことを独自な言い回しで繰りかえす人だったが、それよりもパリの共同生活の合間にふと洩らした一言のほうがずしんときた。

「わつしは、死んだら深海魚になりたい。何も感ぜずに泳いでいられるでしょうからな」

というのであった。

いまごろ、どこの海で泳いでいるのだろうか。

出光佐三翁の日本

「ブラック・ボックス」の闇中でもがいていた二十歳代の私は、出光佐三翁、ついで鈴木大拙師との邂逅によって、人生の光方向へと踏み出せたように思う。その道筋をつけてくれたのが松見守道だった。

「民族資本の雄」と讃えられた出光商店店主の盛名が一段と内外に高まりつつあるこ

ろだった。私にとっての幸運は、戦後日本の大英雄の一人を、側近松見をとおして内側から観察しえたことである。石原慎太郎の原作で三橋達也主演の映画『「挑戦」より愛と炎と』をとおして描かれたような、スーパースターとしての疾風怒濤の人生とは別に、いや、それあればこそこれがあるといった、敬虔の人、出光佐三の姿を。

大行動家は、外因によって動くのではない。内因によってである。ピラミッドの巨大を統べるのは、巨石の堆積ではなく、見えない奥の小さな玄室によってである。出光興産のタンカー船はだんだん大きくなり、ついには五十万トンもの化け物のような超巨大船が出現した。その駿河湾での壮大な洋上進水記念式典が行われ、記録映画のシナリオ製作を委嘱されて私も参列した。フットボールもできそうな広々した甲板の中央に張りめぐらされた紅白の幔幕の内側に、ひいき俳優の長谷川一夫をまじえた綺羅星のごとき名士らに囲まれて、静かな笑みを絶やさずに立つ七十代半ばの創業主のどこからこれほどのパワーが生まれてくるのかと、息を呑んで自分は視つめるばかりだった。

といって、若輩が、正面切って大人物に紹介されるような光栄をまだ得られるはずがなかった。アンドレ・マルローを引き合わせ、そこから《マルロー永遠の日本》展の布石を私が打つに至ったのは、それから十数年後、フランスからの帰国後のことである。

ただ、社員でもないのに会社に親しく出入りしているうちに――店主の年頭訓示まで聞きに行った――翁の行動原理が那辺より来たるか、徐々にそれを窺い知るようになった。「店主は、自分は祖母の生まれ変わりだと云っています」、「店主は、いつも遠いところを見ている感じがしますな」などと、つねづね松見守道から聞かされていた。最後に、死の床においてまで彼は、翁からの手紙を手に、「店主は神さんです」と云って涙するであろう。

アポロ・マークを付けた「出光」は、一企業であることを越えて確乎不抜たる精神共同体とみえた。「店主のためなら死んでもいい」という声さえ周りから聞こえてきた。こんなことがあった。千葉県の保田にある出光の保養所に泊めてもらって原稿を書いていたときのことである、打ちひしがれた感じでそこを訪れた一家族を見かけた。話し声ひとつ聞こえず、ひっそりと過ごしている。いぶかしく思ったが、風呂場で出遭った家長とおぼしき老人から「渡邊です」と挨拶され、あゝ、あの海難事故のと、ぴんときた。事件は大きく世間で取りあげられたばかりだったから。(出光興産の資料部に電話して確認すると、昭和三十七年十一月十八日の出来事とわかった。)記録を調べなおすと、東京湾でノルウェーのタンカー船と出光のタンカー船「第一宗像丸」が衝突し、渡邊通信長が殉職した。当時の報道によれば、ぶつかってきたほうの相手側の船員たちがすぐさま逃げたのにひきかえ、日本人側はみな残って鎮火につとめたということであった。わけても渡邊通信長は、最後まで緊急を告げる打電に集中して命を失ったのである。「火ガ出タ。退船ス」が最終メッセージだった。新聞には、老父の語る「息子は最後まで持ち場を離れず、室内にまで火が回ったのを見てようやく逃げようとしたのでしょう」との言葉とともに、出光店主の「日本人としての立派な最期です。遺家族にはできるかぎりのことをさせていただく」との言葉が伝えられ、世人の大きな感動を呼んでいた。そのことを思い出して私が、こんなところでと詫びると——なにしろ裸同士の浴場でのことだった——、白髪のもとに厳しい表情で、健気にも老父はこう答えるのだった。

「私は息子を失いましたが、誇りです。店主に対しては、尊敬の念しか抱いていません」

ひっそりと、残された家族だけで互いの傷心をいたわりつつ沈静の時を過ごしていた、あの人々の姿を思う。これが日本人以外だったら、様相は一変していたであろう。最近の韓国の「セウォル号」の例を持ち出すまでもあるまい。

あのとき、いかなる因縁であったか、保田のような鄙びた土地で渡邊氏一家と出遭ったことは、私に強烈なインパクトをあたえた。災難とはいえ、愛する息子を奪われながらも、憾むどころか、これほどまでに企業主に対して敬意すらつのらせている。これは、どういうことであろうか。

「日本人」が鍵だ、と思った。

出光翁の偉大は、日本人の偉大と不可分である、と。

ではその日本人の偉大は、どこから来るか――。

そう胸に問うたとき、皇居と、その真向かいの出光興産の収まる帝国劇場とをむすぶ軸線が、強烈な光を射放って見えてきた。私は、出光という会社に縁を持ったのではない。この軸線上に生きはじめたのであった。

こう思うと、すべてが分かりやすくなった。

「わしは、いつも、陛下の御前に住みたい」という翁の切願も。

玉音放送を聞くや、ただちに疎開先の群馬県から宮城（皇居の旧名）へと駆けつけたという真情も。そのとき店主を車で運んだ運転手から直接に私は話を聞いたが、運転中、ひしひしと背後から伝わってくる気迫たるや凄まじいものだったとのことである。

皇居のまんまえに東京海上火災が高層ビルを建てようとしたとき、天皇を見下ろすとは何事かと怒って保険契約の解除を迫り、現在見るごとき、半分の高さにちょん切らせた翁の激情も――。

こうした例を挙げたら切りがない。

しかし、出光翁の「勤王」を、単に政治的右翼に分類して事足れりとすれば飛んでもない誤算であろう。魂の深みにどうかかわるか、その垂直性が左右軸を吹っ切るのだ。しかも翁の勤王は、敬神とむすび、敬神は敬虔と一つものであった。郷里の博多の氏神、宗像大社の宗像三女神に対する翁の敬神は只ならぬもので、寄進の多さにも表れているが、通常の参詣者は、ひたすら恭謙にその名が秘せられていることからその事実に気づくことは稀である。出光佐三の「人間尊重」思想は、経営理念をこえて、生きかたの哲学として日本社会に広がりつつあったが、それは、西洋の革命思想に由来する「人権」的ヒューマニズムではなく、「黄金」、「数や理論」、「主義」、「コンピューター」などの奴隷になるなとの、「八戒」を旨とするものだった。

　ここから、米ソ両超大国に対して一歩も引かない姿勢を堅持し、著書でそれを断乎表明した。『もしマルクスが日本に生まれていたら』でソ連を批判し、慌てて飛んできたソ連の副首相は、「この会社には何も云うことがない」と舌を巻いて退散するほかはなかった。他方、アメリカに対しても、『二千六百年と三百年』で比較を絶する日本の文化的優越を顕揚し、インタビューに現れたアメリカのジャーナリストたちは「天皇の前に住み、茶室で瞑想する哲人経営者」に脱帽するばかりだった。

　どれほどの艱苦に耐えてこれほどの独立不羈の精神が堅持されうるのかと、私はほとんど畏怖の念にとらわれずにいなかった。そこで、ある日、松見守道にそういうと、こう返事が返ってきた。

「わしぐらい苦しんだ人間はいないだろうと店主は云っています」と。

世界中に、七難八苦を味わった偉人は幾らでもいるだろうに、あえてそう云い切るのを聞いて異を唱える人はいなかった。改めて、尤もだと感じ入るのみだった。一口に「民族資本」というが、それを守りとおすことはいかに困難なことか。アメリカの銀行から金は借りるが、それは返せばよい。株は渡したらおしまいだ。こう有言実行することによって翁が守ってきたのは、要するに、日本なのであった。

だがそこには、凡人には、想像するだに目のくらむような階梯があった。

人力の限りをこえた試練をこえようとするとき、人は自ずと超越的となる。パスカルがいうとおり、人間は限りなく人間をこえる。偉人とは、それをなしうる人である。しかし、それには精神的導師が要る。物質界の解決は物質界からは来ない。精神界、それも高度の霊性的次元からしか来ないからである。

「わしは祖母の生まれ変わりじゃ」と信ずる出光翁にとって、至高の導師が現れた。ある日、一冊の本を読んで翁は感激し、アメリカ在住の著者に手紙を書いてこう述べた。

「私は、あなたを昔から知っていたような気がする」

相手の名は鈴木大拙といった。それがどういう人か、翁は知らなかった。しかしそれが始まりだった。

「日本は戦争に敗れたりといえども、文化において敗れず。日本の何たるかを世界に見せてやる」

そこから出光・大拙の絆が生まれた。

三年がかりで欧米十一ヶ国に博多聖福寺の禅僧仙厓の名品八十点を巡回させる――ぜんぶ私財をもって――計画が立てられた。いわば二人の英傑が太縄をねじって作ったようなシメナワが張られ、それはユーラシア大陸にまで延びて、その末端の藁にぶらさがる一員にいつのまにか私はなっていた。

デビュー

リンゴは万有引力によって落ちるのではない、時が満ちるからである。

そのように、われわれの内側でも時が満ちる。満月の夜を待つように、どこかで日数が算えられている。大潮に乗って深海から小魚の群れが浮上し、月下の海面を産卵で乳白色に染めるように、満ちる時が、別の魚鱗《いろくず》であるわれわれ衆生を暗がりから明かりへと浮上させ、出遭わせ、溶け合わせる。生きるとはおそらく、そのための長い用意なのであろう。

用意には段階がある。私の場合、ブラック・ボックスで蠢いていた蟬の幼虫のごときステージから、ようやく地面に這い出ようとする時期だった。戦前教育を受けた身であるから、戦後という地層との、まず軋轢があった。家系図によれば、いちおう古い武家の血統で、そのせいか、ともすれば反時代的に生きようとする内的衝動を抑えかねた。ここから、いつのまにか、断罪された祖国の精神性復興を旗印とする文筆の道を歩んでいた。

安月給とはいえ、唯一の収入源だった勤め先を辞め、背水の陣を敷いたつもりでフランス留学の準備に取りかかった。頼むは、唯一、仏政府給費留学生試験に通ることである。もちろん、フランス文学コースを目ざした。が、一番の難関だった。しかも年齢制限三十歳だから、自分はぎりぎりの応募で、落ちたら後がない。といって、根が楽観論者であるから、格別の勉強をするでもなく、ジャーナリズムで書くことのほうに精を出していた。

波に乗ったのは、「東西禅論争」と題して読売新聞に投じた小論がきっかけである。これは反響を呼び、一挙に私は保守系論壇に押し出される格好となった。

英作家のアーサー・ケストラーが国際雑誌『エンカウンター』に書いた「鼻持ちならぬ禅」というスキャンダラスな一文が起爆剤となって、同誌を舞台に反論が展開されていた。反ケストラー陣営にはユングや鈴木大拙などの世界的思想家も加わったところから、波紋は広がった。拙論でこれを要約し、日本よ、しっかりせよと檄を飛ばした。二十八歳、文芸評論家の肩書きでの初仕事となった。

当時の読売新聞は、社主の正力松太郎の肝煎りで宗教欄が権威を持っていたが、拙論はそこに全面掲載された。これは論壇に波紋を投げた。哲学者の田中美知太郎が好意的に取りあげ、反対に進歩的文化人の代表格、都留重人が朝日新聞で嘲笑した。拙論を引用した本が何冊か出版され、送られてきた。中でも、山岡鉄舟の衣鉢を継ぐ大森曹玄の『剣と禅』と、少林寺拳法の道主、宗道臣の『少林寺拳法教範』の二冊が、敬意をもって大きく問題を取りあげてくれた。総合雑誌『論争』の主幹、奈須田敬が、押っ取り刀といった感じで本郷元町の陋屋まで飛んできた。奈須田敬は追っかけで問題を拡大特集し、さらに次号で私に新規の論文を書かせて背中を押してくれた。

「日本人の根源的創造力をもとめて」というこのエッセイで、私は初めて自分の考えを思うさまぶつけた。鈴木大拙師に対しても、尊敬は尊敬、批評は批評という態度を持した。大著『日本的霊性』に対する畏敬は当時も今も変わらないが、師のある種の日本観に対しては忌憚ない疑問を呈した。たとえば、和歌をさして平安貴族の感傷的たわむれとし、鎌倉時代になって初めて真の「日本的霊性」が表れたとするごとき「進歩段階的な見かた」には反対であると、偉そうに書いた。「そもそも、和歌とは、悲哀を吹っ切る祈りのフォルムではなかろうか」と云い切った。これを読んで葉書をよこし、賛意を表した側に亀井勝一郎があった。氏の『日本人の精神史研究』は愛読書だったので率直に嬉しかった。他方、「狐狸庵」という名の人――遠藤周作の偽名であろうか――から来た葉書には、「血の中に泡立つもの」といった表現は認めがたいとあった。

若書きとはいえ、やや滑った物言いであったかと反省させられる。戦時中の国民学校で、綴方《つづりかた》に、「打倒米英」と力んで書くほど担任の先生が誉めてくれたことの名残でもあろうか。その後も、ともすれば激昂する調子が取れず、フランス語作文でも「もうちょっと興奮を抑えたらベターである」と仏人教師から指摘されることもあった。

そうした欠点を補正しなければ、こちらが「根源」からと云っても世間では必ずしもそうは受けとられず、単純に「右寄り」と片付けられてしまうことがあるものと悟った。

ともあれ、小舟に旗は掲げた。

やがて、ここから、大拙その人と出遭う路が開かれようとしていた。

新進評論家として滑り出したものの、食べることは容易ではなかった。やせの大食いといわれた体を安物の背広につつみ、自分では気づかないが、みすぼらしくも見えたことであろう、あるとき、よれよれの財布をポケットから出すのを見かねて、松見守道はこういうのだった。「博多織もいいが、だいぶくたびれておるようじゃ」。以後、旅行に出るような折に小遣いをくれたり、何くれとなく好意をみせるので、「どうしてそんなに親切にしてくださるのですか」と聞くと、こうきっぱりと云われた。

「立派な大学教授になられるまで、ご面倒を見ます」

これには言葉も出なかった。

そのように私の未来を見た人は、ほかには「怪傑キャピタン」氏あるのみだった。日仏会館で、あるとき、「君はプロフェッサーになるだろう」と云われた。

しかし、松見守道からそう云われたときは、「先生」にだけはなりたくないと思っていたので、どこかぴんとこなかった。

しかし、未来を見ていたのは彼であって、私ではなかった。

自分も直観人だが、この人にはかなわず、別のあるときにはこうも云われた。「あなたは家族縁が薄いようじゃ」。これも、本郷元町での独り暮らしではなく、おそらく私の隠れた「血」を読んでいたのであろう。実父の存在を、父はまるきり知らず、母はほとんど見捨てられて育った。因縁は、顔に書かれていたのかもしれぬ。

ある日、美術室を訪ねると、こう云われた。

「竹本さん、わっしと一緒に向こうへ行きませんか」

そのあとに例の「えっへっへ」といった含み笑い。

未来の出光美術館は、総力を挙げて欧州巡回展を挙行中だったから、「向こう」とは云うまでもなくヨーロッパだった。巡回展は、全十一ヶ国の予定地のほぼ半ばをカバーしたところで、フランスは、パリのチェルヌスキー美術館でちょうど行われつつあるころだった。しかし、行こうといわれても、こっちは留学生試験を控えて、お先真っ暗の情況である。

ところが、試験にパスした。最後の口頭試問のときに審査委員長の前田陽一東大教授から、なんにも準備しなかったにもかかわらず、「よく勉強したねえ」と云われ、日仏学院長のモーリス・パンゲ教授——『自死の日本史』の著者——からは「われわれはみんな君の雄弁なのに驚いたよ」と云われたので、悪い結果ではあるまいと想像していたが、実際にフランス語作文一位だったと知らされた。すぐさま美術室に電話を入れると、松見守道は、「そうなっているんですよ」と、まるで分かってでもいたように、しかし弾んだ声で応えた。

骰子は投げられた。翌一九六三年五月に出国し、イギリスとオランダに展覧会とともに回り、そのあと十一月にパリ入りしてソルボンヌで博士課程登録をするというスケジュールを組んだ。

鈴木大拙師の一言

とかくするうちに、渡欧の日が迫り、山の上ホテルで知友が盛大な歓送パーティを開いてくれた。丸岡明、巌谷大四といった先輩文人の心づかいで、銀座のラモールの綺麗どころが総出で駈けつけてくれた。その中に「ロリータ」を見いだして私は妖しい胸のときめきを覚えた。疑いもなく彼女は男性のロマンを掻き立てる種類の美少女で、リラダンやモローのようなフランスの象徴主義派詩人や画家がヴェネツイアの水辺にでも佇ませて描写したくなる種類の、妖精であった。ただし、近づく舟人を難破させる人魚《セイレン》の危なさを持った――。

上昇運のときには、偶然がよく働くらしい。歓送パーティの開かれた夕べは、ちょうど高見順さんが会場となったホテルに泊まって執筆中の時だった。着流しの粋な着物姿で「最後の文士」は上の階から下りてきて、一場のスピーチを餞《はなむけ》としてくれた。「僕も竹本君ぐらいのころは知性ゆたかな若者でした。ただし、この知の字は、やまいだれが掛かっていましたが……」と云って会場を沸かせた。その夕べのことは『高見順日記』に書かれていると、あとでパリのある画家から知らされた。

「ロリータ」を目にしたのは、そのときが最後だった。やはり、セイレンだったのであろうか。逆らいがたいその蠱惑の恐ろしさを思い知らされたのは、のちにパリでの思いがけないある出来事をとおしてだった。

妙だろうか、妙だろうか。

入りがたき魔界に入ることと、女偏は、いかなる関係にあるのだろうか。

先にも例に引いたノーベル文学賞受賞講演で川端康成は、冒頭で、明恵上人について語っている。ついで、若き貞心尼との恋を歌いあげた老境の良寛和尚について述べ、続いて、閨房秘事の艶詩をも書いた一休禅師について、縷々、讃辞を呈している。満堂の西洋の貴顕の士はどう聞いたであろうか。

のっけに明恵を持ってきたところに、含蓄があった。だんだんと、そこから、「魔界」へとアプローチして。ついに入りがたき魔界を極めた一休と比べれば、「生涯不犯《ふぼん》」の証明書つきと云われた明恵の存在は、いかにも絶妙のコントラストをなしている。そこがなかなかに意味深長なところだ。明恵の『夢記』に出てくるように、この聖人にして、エロスとは無縁ではないのである。そもそも聖人は恋をしてはならないのだろうか。明恵が「色」を思っているのではない。宇宙が色であり、それが明恵をつつんでいるという感じを受ける。「女」の前に、「玄」があった。つまり、根源的宇宙が。人間は宇宙的イマジネーションにおいて自由であり、それが「美しい日本」の元なのだ……。満天下に向かって、川端康成はそう語りたかったようにも思われる。

「色をもて女を見たる者は、心のうちにすでに姦淫したるなり」の、まさに正反対だ。イエスのこの言葉では、イマジネーションそのものが断罪されている。

「キリスト教は、マリアがいるから面白い。キリストだけだと、怒られてばかりいるような気がする……」

大拙師の一言が、けだし、名言と思われてくるのだった。

一九六三年五月の出立日が近づきつつあった。

いよいよ明日出発という前日、鈴木大拙師から昼食に招きたいとの知らせを受けた。翻訳をお手伝いしたことから、大拙先生とは、鎌倉円覚寺のご在所に訪ねたことに始まり、軽井沢の出光山荘で一緒に夏を過ごすなど、終生忘れがたい縁を深めさせていただいていた。

初めて円覚寺を訪れて、「サクレ」について質問したときのことは前述のとおりである。この対面を蔭でお膳立てしてくれたのも、やはり、松見守道だった。息をひそめて成りゆきを見守っていたらしい。それだけに、先生が、あの若いのはよく勉強しておると云っておられたと聞いて、繰りかえしそのことを口にしては喜ぶのであった。

それだけにまた、これほどの期待を裏切る結果となった我が後半生の失墜を思わずにいられない。こうして、上昇運などと書いているが、いささかもそれを誇る気持にはなれない。燃える炎に、醒めての灰が重なってみえるからである。

出発前日、大拙師とのお別れに向かった。

いつも鎌倉から上京のたびに定宿とされている丸の内の日航国際ホテルの一室に通される。到着されたばかりらしく、大きなスーツケースが二つ、開かれたまま床に置かれている。どちらも、はちきれんばかりに書物が詰めこまれて。たった一，二週間の滞在というのに……。すぐさま、先生と側近の岡村美穂子さんに随って、レストランへ向かう廊下へ出た。歩きながら、先生から声が掛かる。

「京都はどうだったかな」

日本の見納めに私は、再度、京都へ旅して帰ってきたばかりだった。とっさに、こんな返事が口を突いて出てきた。

「瞬間を演出しています」

桂離宮の御輿寄せの敷石を見たときの驚きが、まだ自分の中に脈打っていた。答えは禅師のお気に召したようだった。かたわらを歩く美穂子さんにこう云われた。

「おい、聞いたかや。面白いことを云っとるぞ」

「聞いてますわよ！」

弾むような端切れのいい返事が返ってきた。

ダンテに神聖感を抱かせたごとき女性が、この世にはいるものである。初めて大拙博士を訪ねて円覚寺に赴いたとき、玄関に純白のブラウス姿で現れて蹲踞した善女の美しさを、私は忘れたことがなかった。映画女優の高峰秀子と似た面差しながら、オーラが違う。生まれながらの聖性を保持するかのごとき女性が存在するものであり、彼女らを輝かせているものは、実は求道による内面の光なのだ。

「私など、鈴木先生にお会いしてなかったら、どうなってしまったことでしょう……」

との述懐を聞いたのは、軽井沢においてだったろうか。一九五一年、渡仏の前年、出光店主の山荘で大拙先生と過ごしたときだった。一九五一年、アメリカで博士の講演のとき、お下げ髪を傾けて「分かりません……」と質問したのが、少女の老賢人との出会いの初めだったということは伝説となっていた。博士は私の渡仏後二年目に入寂され、最後まで看取った岡村美穂子さんは、以後、衣鉢を継いで活躍し、現にいま、金沢の鈴木大拙館の名誉館長として名声いよいよ輝かである。

さて、レストランでの昼食が済んで、ふたたび三人で長い廊下に出た。もういちどお部屋に戻り、そこで私は質疑応答を録音させていただいた。例の「でんすけ」を当時はどこへ行くにも持ち回り、明日の渡欧にも持参する予定だった。ともあれ、若い者は残酷で、高齢者の疲れなどというものは分からない。時に博士は九十三歳、午睡をとる習慣ということで立ちあがり、私は心に永別を期してご挨拶申しあげた。

美穂子さんに付き添われ、先生が隣室に入られてからも、しばらくソファに坐ったままでいた。開いたままのスーツケースの一つに自ずと目は吸い寄せられる。ぎっしり詰めこまれた書物の一番上に、大判のゲーテの英訳版『ファウスト』の上下二巻本が乗っている。何となく、大拙先生の座右の書ではなかろうかという感じがして、じっと視つめた。「キリストだけだと怒られてばかりいるような気がする」西洋とは異なる、もう一つの西洋が、そこにはあった。

錬金術師ファウストと、清純の乙女マルガレーテの物語としての。伝説ではファウストは悪魔メフィストフェレスに魂を売って若返るが、ゲーテの作品は、ファウストの究極的失墜を救っている。宇宙的存在としての天使たちによって。老賢人鈴木大拙がそこに読みとったものは、はたして何であったろうか。

胸に問いつつ、腰を浮かしかけたとき、薄い間仕切りに隔てられた隣室から、「美しいのう……」という低い声が聞こえてきた。

くすっと、小さくこれにこたえて笑う声。

空耳だったかもしれない。

静かに、でんすけを右手で持ちあげて、廊下に出た。

「重いぞ」という声に、びっくりして振り返ると、大拙先生は戸口に立っておられた。ドアから半歩踏み出した姿勢で。

「重いか」でも「重いだろう」でもなく、スズキイズムの極意、「非二分性」そのものの極意を、そこに聞いた。

だが、重いのは我が人生そのものであることに、気づくよしもなかった。

（第一巻　由来篇おわり）

竹本忠雄

『未知よりの薔薇』全巻リスト

第一巻　由来《ゆらい》篇
第二巻　出遊《しゅつゆう》篇
第三巻　流浪《るろう》篇
第四巻　筑波《つくば》篇
第五巻　交野路《かたのみち》
第六巻　秘声《ひせい》篇
第七巻　影向《ようごう》篇
第八巻　寂光《じゃっこう》篇

竹本忠雄（TAKEMOTO Tadao 1932～）

日仏両国語での文芸評論家。筑波大学名誉教授、コレージュ・ド・フランス元招聘教授。
東西文明間の深層の対話を基軸に、多年、アンドレ・マルローの研究者・側近として『ゴヤ論』『反回想録』などの翻訳、『マルローとの対話』などを出版、かたわら、日本文化防衛戦を提唱して欧米での反「反日」活動に従事（日英バイリンガル『再審「南京大虐殺」』等）。その途上で皇后陛下美智子さまの高雅なる御歌に開眼し、仏訳御撰歌集をパリで刊行、大いなる感動を喚起して、対立をこえた大和心の発露の使命を再確認する。
令和元年11月、仏文著書『宮本武蔵　超越のもののふ』（日本語版、勉誠出版）を機に、87歳でパリに招かれて記念講演を行い、新型コロナウィルス流行直前に帰国して、構想50余年、執筆8年で完成した『未知よりの薔薇』の米寿記念刊行に臨む。

未知《みち》よりの薔薇《ばら》　第一巻　由来《ゆらい》篇

著者　竹本忠雄
発行者　吉田祐輔
発行所　㈱勉誠社
〒101-0061 東京都千代田区神田三崎町二-一八-四
電話　〇三-五二一五-九〇二一㈹

二〇二一年七月二十四日　初版発行
二〇二四年十一月八日　初版三刷発行

印刷
製本　株式会社コーヤマ

ISBN978-4-585-39501-0　C0095